妄想アンソロジー式ミステリガイド

contents

まえがき

探偵小説研究会　横井司

本書の執筆グループである探偵小説研究会は、東京創元社が評論の公募を行っていた際の、受賞者を中心として一九九五年に結成された。月一回、研究会を開いて、内外の探偵小説に関する研究書やエッセイを読み合わせて議論を交わすのが、当初の活動の中心を占めていた。

その後、一九七五年から一九九四年までに刊行された国内の本格ミステリを概観するガイド・ブック『本格ミステリ・ベスト100』（東京創元社、一九九七）を皮切りに、年度ごとの成果を確認することを目的とした『本格ミステリ・ベスト10』（東京創元社→原書房、一九九八～継続中）や『本格ミステリこれがベストだ！』（東京創元社、二〇〇一～〇四）の編著を担当。さらに、綾辻行人以降の本格シーンを俯瞰する『本格ミステリ・クロニクル300』（原書房、二〇〇二）、ゼロ年代の本格シーンを俯瞰する『本格ミステリ・ディケイド300』（原書房、二〇一二）を刊行したほか、ミステリ専門誌『ジャーロ』（光文社）の連載をまとめた『ニアミステリのすすめ——新世紀の多角的読書ナビゲーション』（原書房、二〇〇八）を上梓。これらの刊行や各会員による個別の執筆活動と並行して、現在は機関誌『ＣＲＩＴＩＣＡ』（二〇〇六～継続中）を、コミックマーケットや文学フリマ、通販などで頒布している。

本書『妄想アンソロジー式ミステリガイド』は、『ニアミステリのすすめ』に続く、『ジャーロ』での連載をまとめた一冊となる。

その年の代表作を選んだ年鑑などとは異なる、いわゆるテーマ別アンソロジーの、日本人作家の短編をまとめたものとしては、一九七五年に講談社から刊行された渡辺剣次編『13の密室』に始まる〈13シリーズ〉と、同年にカッパ・ノベルスから刊行が始まった鮎川哲也編《鉄道ミステリー傑作選》全三巻が、テーマ別アンソロジーというものを意識させることになった決定版として、忘れ難い印象を残している。

以後、テーマ別アンソロジーは、さまざまなテーマを掲げながら、現在も陸続と出版され続けている。そうした中、探偵小説研究会が改めて架空ミステリ・アンソロジーをテーマとする意味は何か。

ひとつには『ニアミステリのすすめ』の副題にもある「多角的読書ナビゲーション」の継承という意味合いがある。この作品とこの作品とは、こんな意外なつながりがあるよ、という視点から書かれたのが「ニアミステリ」だったわけだが、企画の性質上、ふたつの作品しか選べないという限界があった。それに対して、意外なつながりを最初に示した上で、少しでも多くの作品を紹介していこうという意図に基づくのが、今回の企画の肝となる。

テーマ別に従来の作品を位置付けることで、ミステリにおける発想の型が明らかとなり、そうした型に基づいて読書体験を再定義することを促すことにもつながる。と同時に、ミステリの多様なシーンを現出させることも可能になるだろう。

本書の企画を考えていた時は、ちょうど三年後に東京オリンピックの開催が予定されており、それに刺激され、アーチェリーなどの競技ごとに、それらを題材とする作品を紹介してはどうか、ということから話が始まった。そこからテーマ別架空アンソロジーというふうに発展したわけだが、本書と同様の試みとして、小鷹信光が『ミステリマガジン』に連載した「続パパイラスの舟」での海外ミステリを対象とした架空アンソロジー・エッセイを思い出される方がいるだろう。小鷹のエッセイのいくつかは実現し、刊行されたという実績がある。本書の場合、実際の刊行が難しいものも多いが、そのぶん自由な切り口で編まれているのが特徴といえようか。

本書をきっかけに、取り上げられた作品を渉猟するなり、新たに自分だけの架空アンソロジーを編んでみるなり、読者それぞれが、お楽しみの時間を持つしるべともなれば、これにまさる喜びはない。ご愛読を請う。

戦争ミステリ傑作選

千街晶之

今回から始まるこの新連載は、探偵小説研究会の会員が、架空アンソロジーのアイディアを競うという企画である。

第一走者を務めることとなった私が考えたのは、戦後七十年という節目に合わせて「戦争ミステリ傑作選」（追記：本稿の掲載年は二〇一五年だった）。戦争をさまざまな角度から描いた国産ミステリの集成である。まずはラインナップをご覧いただきたい。

一巻　戦争の只中で

江戸川《えどがわ》乱歩《らんぽ》「芋虫」『偉大なる夢』
横溝《よこみぞ》正史《せいし》「孔雀屏風」
大阪《おおさか》圭吉《けいきち》「疑問のＳ」『海中諜報局』
海野《うんの》十三《じゅうざ》「東京要塞」「アドバルーンの秘密」

二巻　戦争の時代の謎

江戸川乱歩「防空壕」
日影《ひかげ》丈吉《じょうきち》『内部の真実』
梶《かじ》龍雄《たつお》『灰色の季節』
海渡《かいと》英祐《えいすけ》『燃えつきる日々』

三巻　戦後から振り返る戦争1

横溝正史『犬神家の一族』「殺人鬼」
天城《あまぎ》一《はじめ》「彼らマンダレーより」
山田《やまだ》風太郎《ふうたろう》「黒衣の聖母」『太陽黒点』
松本《まつもと》清張《せいちょう》『遠い接近』

四巻　戦後から振り返る戦争2

西東《さいとう》登《のぼる》『蟻の樹の下で』
三好《みよし》徹《とおる》『閃光の遺産』
結城《ゆうき》昌治《しょうじ》『虫たちの墓』
南條《なんじょう》範夫《のりお》「変貌」

五巻　戦後から振り返る戦争3

天藤《てんどう》真《しん》『大誘拐』
伴野《ともの》朗《ろう》『三十三時間』
皆川《みながわ》博子《ひろこ》「水底の祭り」「疫病船」
山村《やまむら》正夫《まさお》『赤い呪いの鎮魂歌』

六巻　戦争を知らない作家たち

連城《れんじょう》三紀彦《みきひこ》『敗北への凱旋』
下村《しもむら》敦史《あつし》『闇に香る嘘』
古処《こどころ》誠二《せいじ》『中尉』
赤城《あかぎ》毅《つよし》「長い長い眠り」

七巻　密偵たちの戦争

松本清張『球形の荒野』
佐々木《ささき》譲《じょう》『エトロフ発緊急電』
柳《やなぎ》広司《こうじ》「蝿の王」
深町《ふかまち》秋生《あきお》『猫に知られるなかれ』

八巻　幻影の戦争1

小泉《こいずみ》喜美子《きみこ》『血の季節』
辻《つじ》真先《まさき》『暗殺列車―山本五十六《やまもといそろく》大将抹殺指令』

九巻　幻影の戦争2

飴村行《あめむらこう》『爛れた闇』
奥泉光《おくいずみひかる》『グランド・ミステリー』
山田正紀《やまだまさき》『ミステリ・オペラ―宿命城殺人事件』
芦辺拓《あしべたく》「探偵、魔都に集う
―明智小五郎《あけちこごろう》対金田一耕助《きんだいちこうすけ》」

十巻　鏡の向こうの戦争

皆川博子『死の泉』
柳広司『新世界』
深緑野分《ふかみどりのわき》『戦場のコックたち』

別巻　これからの戦争

米澤穂信《よねざわほのぶ》『さよなら妖精』
初野晴《はつのせい》「エレファンツ・ブレス」
石持浅海《いしもちあさみ》『顔のない敵』（「暗い箱の中で」を除く）
月村了衛《つきむらりょうえ》『土漠《どばく》の花』

架空のアンソロジーなのだから、どれだけ気宇壮大な構想を立ち上げても構わないようなものではあるが、実際にアンソロジーを編んだ経験があるせいか、ついつい現実味のある企画にまとめてしまったのは我ながらいいのか悪いのかわからない。一冊に収録可能なのは長篇なら三作くらいだろうし、全体では十冊前後が現実的であろうという判断から、全十冊、別巻一冊に収めた（というわけで、拾いきれなかった傑作・秀作はまだまだある）。また、日清・日露戦争や第一次世界大戦を扱ったミステリは少ないので、日中戦争勃発以降を「戦争」として捉えた。従って「芋虫」を例外として、それ以前を背景とした作品は省いたことをお断りしておく。

まず**一巻**の収録作は、実際に戦前・戦中に発表された作品である。探偵小説の執筆が禁止された戦時中にあって、江戸川乱歩は「芋虫」が全文削除処分になるなど、最も槍玉に挙げられた作家であった。『偉大なる夢』は、その乱歩が執筆した珍しいスパイもの。時流に合わせた描写はあるものの、トリッキーな仕掛けもあり、戦時中にあっても乱歩はやはり乱歩だったのだと痛感させられる。横溝正史の「孔雀屏風」は出征中の兵士から来た奇妙な手紙を発端とする、神秘的な恋愛ミステリである。戦後、華々しく活躍した乱歩・横溝に対し、本格派として戦前を代表する存在だった大阪圭吉は、戦地で病歿した悲運の作家である。戦時中は軍事冒険小説を発表した海野十三は、敗戦に大きな衝撃を受け、戦後数年にして失意のうちに生涯を終えた。他にも戦後間もなく歿した作家としては小栗虫太郎《おぐりむしたろう》らがおり、戦争が探偵小説界に与えた打撃の大きさは計り知れない。しかし、敗戦とともに英米作品に伍する本格探偵小説が日本でも執筆されるようになったのは周知の通りである。

ここからは戦後作品が中心だが、まず**二巻**は戦時中、あるいは開戦直前の時期を物語の背景にしたミステリである。乱歩の「防空壕」は空襲を背景にした皮肉な短篇。敗戦まで台湾に駐屯していた日影丈吉は、その体験を踏まえた作品群を後に執筆したが、太平洋戦争末期、台湾に駐在していた日本の憲兵隊のあいだで起こった事件を描いた『内部の真実』はそれらの中でも傑作として名高い。梶龍雄はデビュー作『透明な季節』でも戦時中を舞台に選んでいたが、ミステリとしての出来は連作『灰色の季節』に軍配が上がるだろう。海渡英祐『燃えつきる日々』は日米開戦前夜に起きた殺人事件を描いており、同じ人間が別の場所で目撃されるなど不可能犯罪状況が用意されているほか、ゾルゲ事件など当時の歴史的出来事が絡ませてある。

三巻から**五巻**までは戦時中の出来事に起因する事件が現在（執筆当時）に発生するタイプのミステリで、作例としてはこれが最も多い（横溝正史だけでも一冊ぶん編めそうだが、『獄門島』は戦争ミステリとしてあまりに別格的存在なので敢えて外した）。戦争は日本中に傷跡を残した最大級の悲劇だけに、動機に説得力を付与する上では最適の設定だし、戦傷で顔の見分けがつかなくなったり、空襲などで身元を証明する術《すべ》を失ったケースもあったため、人間入れ替わりトリックにもよく用いられた。戦時中の触れられたくない経歴を抹消するために殺人を犯す人物も、戦争が過去のものになりつつあった時代のミステリにはしばしば登場した。なお、戦争が背景にあると言及すること自体がネタばらしになってしまうタイプの作品も混じっているが、ご容赦願いたい。

紙幅の都合で、それらのうち現在入手困難な作品（追記：二〇一五年時点）のみ紹介しておくと、三好徹『閃光の遺産』は、広島への原爆投下を背景にした遺産相続ものの本格ミステリで、原爆投下の瞬間からちょうど二十年後の八時十五分に真相が暴かれる趣向に必然性が用意されている。結城昌治『虫たちの墓』は、上官の命令で米軍捕虜を処刑した経歴を持つ主人公が、かつての戦友の自殺の謎を探りつつ過去と向かい合う物語だ。伴野朗『三十三時間』は、終戦直後、三十三時間のタイムリミットで東シナ海の孤島の守備隊を救おうとする特務員と敵対組織の戦いに、密室殺人の謎を絡めた作品である。山村正夫『赤い呪いの鎮魂歌』は名探偵・滝連《たきれん》太郎《たろう》シリーズの長篇で、沖縄戦を背景にした珍しい作例だ。

五巻までは戦前生まれの作家で揃えたけれども、**六巻**には戦後生まれの作家の戦争ミステリを集めた。連城三紀彦『敗北への凱旋』は、戦後間もなくに起きた殺人事件の被害者が遺した楽譜の暗号から、スケールの大きな犯罪の全容が明らかとなる本格ミステリ。下村敦史『闇に香る嘘』は中国残留孤児問題をモチーフにした江戸川乱歩賞受賞作。古処誠二は自衛隊ミステリから出発し、一九七〇年生まれながら戦争をモチーフにした作品を幾つも発表している異色の作家で、『中尉』はビルマに駐屯している軍医が武装グループに攫われた事件を通して、無能に見えた軍医の実像に主人公の軍曹が迫るミステリである（追記：古処の戦争ミステリとしては、本稿執筆後に発表された『いくさの底』がより優れた出来である）。軍事研究家でもある赤城毅の「長い長い眠り」は、依頼人から依頼された書籍を必ず入手する「書物狩人《ル・シャスール》」の活躍を描いたシリーズの短篇で、日中戦争激化のさなかで行方不明になった北京原人の化石の秘話が登場する。

戦争は直接的な殺し合いにとどまるものではなく、諜報戦も重要な役割を果たしている。というわけで**七巻**にはスパイものを集めた。松本清張『球形の荒野』は、大戦末期に終戦工作に関わった男の数奇な運命を描いた物語で、繰り返し映像化されている。『エトロフ発緊急電』は佐々木譲の第二次世界大戦三部作の第二作にあたる。日本海軍の動向を探ろうとする日系アメリカ人スパイをめぐって多くの人間の思惑が入り乱れる冒険小説の金字塔だ。柳広司「蠅の王」は、陸軍中野学校をモデルにしたスパイ養成学校・D機関が世界中で知略縦横の情報戦を繰り広げる「ジョーカー・ゲーム」シリーズのうちの一篇。深町秋生『猫に知られるなかれ』は、戦後のGHQ占領期に、ジャーナリスト・政治家として知られる緒方竹虎《おがたたけとら》が密かに諜報組織を結成していたという設定の作品だ（緒方は実際、内閣情報調査室の原点となった組織を設立した人物である）。

八巻と**九巻**は、架空戦記的な要素や偽史的要素など、幻想・伝奇の彩りが濃い作品を集めた（戦時中に明智・金田一両探偵が出会うパスティーシュである芦辺拓「探偵、魔都に集う」も、他の巻にうまく入らなかったのでここに収録）。ここも紙幅の都合で現在入手困難な作品についてのみ触れておくと、小泉喜美子『血の季節』は、幼女殺害事件の捜査と、その犯人の戦時中の思い出をめぐる異様な告白とを並行して描いた幻想ミステリの逸品である（追記：後に宝島社文庫から復刊）。辻真先『暗殺列車』は、近衛文麿《このえふみまろ》の暗殺と引き換えに終戦工作が成功したパラレルワールドの戦後が舞台。列車で国際会議に向かう山本五十六（作中の世界では戦死していない）および石原莞爾《いしわらかんじ》の命を狙う正体不明のテロリストに対し、海野十三作品の名探偵・帆村荘六《ほむらそうろく》と、山中峯太郎《やまなかみねたろう》作品のヒーロー・本郷義昭《ほんごうよしあき》が立ち向かうという、凝った趣向の架空戦記ミステリだ。

十巻は、日本以外の国々での戦争を日本人作家が描いた作品群だ。日本が戦争を体験していたあいだ、鏡の向こう側とも言うべき敵国でも、あるいは同盟国でも、数多くのドラマが繰り広げられていた筈であり、そこに着目したミステリも数は少ないとはいえ存在している。ナチス・ドイツの秘密実験を描いた皆川博子『死の泉』、原爆実験が行われたロスアラモスを舞台に、実在の科学者たちのあいだで起きた架空の殺人事件を描く柳広司『新世界』、ヨーロッパ戦線に参加した調理担当の若き米兵の視点から、戦場という非日常における「日常の謎」を描く深緑野分『戦場のコックたち』と、いずれも野心的な試みである。

別巻は、「現代の日本人と戦争の関わり」、そして「これから起こり得る戦争のかたち」を描いた作品群だ。米澤穂信『さよなら妖精』と初野晴「エレファンツ・ブレス」（後者は、高校の吹奏楽部を舞台にした学園ミステリ「ハルチカ」シリーズの一篇）は、いずれも平和な日本の若者が、過去あるいは現在進行形の他国の戦争を垣間見る物語。石持浅海『顔のない敵』は、人を殺すのではなく負傷させて戦意を削ぐことを目的とする対人地雷という兵器を通して倫理を問う物語であると同時に、パズラーでもある作品を集めた異色の連作。月村了衛『土漠の花』は、海外に派遣された自衛隊が現地の氏族間の抗争に巻き込まれる冒険小説。自衛隊が予期せぬ戦闘に巻き込まれる可能性といい、国による隠蔽やアメリカの救援が来ない理由といい、現実にあり得ない話ではないというリアルさが感じられる。戦争を扱ったフィクションには、起こり得る近未来を描き、それに警鐘を鳴らすという効用もあるのだ。

（追記）この原稿が雑誌に掲載された後にも優れた戦争ミステリは発表されているので、その中から「別巻その二」として一冊を編んでおく。

別巻その二　戦争の過去と現在

佐《さ》藤《とう》亜《あ》紀《き》『黄金列車』
太《おお》田《た》愛《あい》『天上の葦』
西《にし》尾《お》維《い》新《しん》『掟上今日子《おきてがみきょうこ》の鑑札票』

『黄金列車』は第二次世界大戦中、ユダヤ人の資産の保護・移送を図るハンガリーの官吏を主人公とする冒険小説。『天上の葦』は、戦時中から現代まで繰り返される政府のメディアへの圧力をテーマにしている。『掟上今日子の鑑札票』は「忘却探偵」掟上今日子が活躍するシリーズの一篇だが、およそ名探偵が登場する本格ミステリで、戦争をこのように扱った作例は前代未聞だろう。

異論理図書館《ビブリオテカ・パラロジック》

鷹城宏

架空の詞華集《アンソロジー》を編纂するというこの企画、第二弾を担当する鷹城のコンセプトは「異論理図書館《ビブリオテカ・パラロジック》」である。探偵の推理や犯人の思念に、どこかしら逸脱や過剰が見受けられるミステリ。もしくは、論理が拠って立つ世界自体が、私たちの住まうそれとは隔絶した価値観に彩られた作品。そうした、ある種の歪みを孕んだミステリを選んで並べて、自らの偏愛する城砦を築いてみようと思ったのだ。ただし、このテーマで当方が素直に選ぶと、夢野久作《ゆめのきゅうさく》『ドグラ・マグラ』、小栗虫太郎《おぐりむしたろう》『黒死館殺人事件』、中井英夫《なかいひでお》『虚無への供物』、竹本健治《たけもとけんじ》『匣《はこ》の中の失楽』が挙がってくるのだが、さすがに新味に欠けるため、四大奇書とその著者の作品は封印することにした。その条件で考えたアンソロジーのラインナップが次のとおりである。

一巻　異貌の館
綾辻行人《あやつじゆきと》『霧越邸殺人事件』
森博嗣《もりひろし》『すべてがFになる』

二巻　異人の島
小野不由美《おのふゆみ》『黒祠《こくし》の島』
笠井潔《かさいきよし》『オイディプス症候群』
北山猛邦《きたやまたけくに》「妖精の学校」

三巻　異界の庭
泡坂妻夫《あわさかつまお》『乱れからくり』
山口雅也《やまぐちまさや》「永劫の庭」
芦辺拓《あしべたく》『紅楼夢の殺人』

四巻　アーティスト変幻
連城三紀彦《れんじょうみきひこ》「戻り川心中」
麻耶雄嵩《まやゆたか》『夏と冬の奏鳴曲《ソナタ》』
法月綸太郎《のりづきりんたろう》「カット・アウト」
柄刀一《つかとうはじめ》「時の運送屋《カミオン》」
森晶麿《もりあきまろ》「複製は赤く色づく」
深水黎一郎《ふかみれいいちろう》『花窗玻璃《はなまどはり》　シャガールの黙示』

五巻　文化の衝突
泡坂妻夫「ホロボの神」
梓崎優《しざきゆう》『叫びと祈り』
米澤穂信《よねざわほのぶ》『王とサーカス』

六巻　神意を問う探偵たち1
山田正紀《やまだまさき》『神曲法廷』
柄刀一『奇蹟審問官アーサー　神の手の不可能殺人』

七巻　神意を問う探偵たち2
貫井徳郎《ぬくいとくろう》『神のふたつの貌』
古泉迦十《こいずみかじゅう》『火蛾』

八巻　怪を語れば怪至る1
京極夏彦《きょうごくなつひこ》『姑獲鳥《うぶめ》の夏』
三津田信三《みつだしんぞう》『厭魅《まじもの》の如き憑くもの』

九巻　怪を語れば怪至る2
殊能将之《しゅのうまさゆき》『黒い仏』
城平京《しろだいらきょう》『虚構推理』

十巻　偶然と必然

谷崎潤一郎《たにざきじゅんいちろう》「途上」
江戸川乱歩《えどがわらんぽ》「赤い部屋」
久生十蘭《ひさおじゅうらん》「黒い手帳」
山口雅也『奇偶』

別巻一　海外編

エドガー・アラン・ポオ「アッシャー家の崩壊」
ルイス・キャロル『鏡の国のアリス』
G・K・チェスタトン「イズレイル・ガウの誉れ」
カミ『名探偵オルメス』
ホルヘ・ルイス・ボルヘス「八岐《やまた》の園」
エラリー・クイーン『盤面の敵』

別巻二　評論編

高山宏《たかやまひろし》『殺す・集める・読む　推理小説特殊講義』
エリザベス・シューエル「ルイス・キャロルの作品と現代世界にみるノンセンスのシステム」
ロザリー・L・コリー「文学のパラドクス」

一巻から三巻は、館・島・庭という、異論理が作用する場《トポス》に着目して編んだ。一巻「**異貌の館**」の冒頭には、アール・ヌーヴォー調の洋館を舞台に万物照応の殺人劇が繰り広げられる『霧越邸殺人事件』を置く。それに並べるのは、第一回メフィスト賞を受賞した森博嗣のデビュー作『すべてがFになる』。研究所の一画に幽閉された天才科学者の思考は、合理と狂気が紙一重で隣りあっている。「建築」に向ける文系、理系の感覚の違いもぜひ賞味してほしい。

二巻「**異人の島**」には小野不由美の『黒祠の島』を選んだ。「黒祠」とは、明治政府による全国的な神社統廃合を免れた地方信仰の謂。九州北西部の離島で起きた殺人事件の背後には、島を統べる黒祠崇拝が介在していた。笠井潔の力作『オイディプス症候群』では、ギリシア沖合の島に築かれたダイダロス館で、牛神《ミノタウロス》の角に貫かれた屍体が発見される。いずれも、明晰な論理の隣に、古より続く魔術的思考を配した構図が興味深い。絶海の孤島に築かれた子供の楽園を描いた北山猛邦の短編「妖精の学校」（『私たちが星座を盗んだ理由』所収）は、結末まで読んだが意味不明と訴える読者が多いかもしれない。最後の一行に記された数列をネット検索すれば、真相がおぼろげに浮かびあがるという問題作だ。昔ながらのフェアプレイ原則は薬にしたくもないが、これもまた、現代的な知の在りようかもしれない。

三巻「**異界の庭**」の冒頭には、絡繰り趣味が横溢する泡坂妻夫『乱れからくり』を配したい。作中には、ねじ屋敷なる異貌の館も登場するが、より強く印象に残るのは、五角形の迷路が設けられた庭園の方であろうから。山口雅也の短編「永劫の庭」（『キッド・ピストルズの妄想』所収）は、パラレルワールドの英国でパンク刑事が活躍するキッド・ピストルズシリーズの一編。泡坂作品に登場するトピアリーを多用した幾何学庭園はフランス発祥であり、対する英国式風景庭園は自然をそのまま取りこんだかのように見える。しかし、実はそこにもまた厳格な法則が働いているのだ。片や芦辺拓『紅楼夢の殺人』は、中国は『紅楼夢』の世界を舞台に、大富豪の邸宅に築かれた人工庭園「大観園」で起きた大量殺人を物語る。

四巻「**アーティスト変幻**」には、芸術をテーマに異論理の働く様子を探ったミステリを収める。天才歌人の死にまつわる謎を語る連城三紀彦の傑作短編「戻り川心中」のみ文学ジャンルが対象だが、その他は、キュビスムに則り建てられた館を舞台とする麻耶雄嵩『夏と冬の奏鳴曲』、フランスのランス大聖堂に飾られたシャガールの花窗玻璃《ステンドグラス》が事件を生む深水黎一郎『花窗玻璃』の二長編を主軸に、美術ミステリを並べた。短編としては、麻耶作品にインスパイアされた法月綸太郎「カット・アウト」（『パズル崩壊』所収）、柄刀一の絵画修復士御倉瞬介シリーズの一編「時の運送屋」（『システィーナ・スカル』所収）、そして森晶麿の黒猫シリーズからは美学者の黒猫と付き人の学生時代を綴った「複製は赤く色づく」（『黒猫の刹那あるいは卒論指導』所収）を採った。

五巻「**文化の衝突**」では、異なる文化圏に属する人々のやり取りが、誤解と衝突に帰結する物語をお届けしよう。泡坂妻夫「ホロボの神」（『亜愛一郎の狼狽』所収）は、太平洋戦争の戦場となった南方の小島、ホロボ島で過去に起きた密室殺人の謎を、亜愛一郎が解明する。梓崎優の連作短編集『叫びと祈り』は、世界各地を旅する斉木青年が主人公。砂漠のキャラバン、スペインの風車、ロシアの修道院などを舞台に、驚愕の物語が繰り広げられる。さて、泡坂のホロボ島は舞台からして虚構で、梓崎作品は実在の土地を舞台としつつもそこで展開する事件は奔放な想像力の産物だった。これに対して米澤穂信『王とサーカス』は、ネパールの首都カトマンズで二〇〇一年に実際に起きた王族内の殺人事件を背景とする。かの地を訪れていたジャーナリストは、国を揺るがす大事件を取材するうち、王宮に配属された軍人の死に巻きこまれてゆく。

六、七巻「**神意を問う探偵たち**」には、神や宗教をテーマとする作品を収めた。信仰の在りようをめぐる事件は、しばしば部外者の理解を徹底して拒むが、信者にとっては疑うことなき真理となりうる。山田正紀『神曲法廷』、柄刀一『奇蹟審問官アーサー』、貫井徳郎『神のふたつの貌』はいずれもキリスト教を扱ったミステリだ。山田作品には、神の声を聞く検事、佐伯神一郎が登場し、柄刀作品は、奇蹟の真偽を認定すべくバチカンから派遣される奇蹟審問官アーサー・クレメンスの活躍を描く。貫井作品は、牧師の息子に生まれた早乙女《さおとめ》少年が、一途に神を求めるがゆえに異様な行動へと走るさまを圧倒的な筆力で物語る。とまあ、キリスト教ミステリが三作並んだが、最後の一作、古泉迦十の『火蛾』は、イスラーム神秘主義たるスーフィズムを主題とした異色作である。

八、九巻「**怪を語れば怪至る**」は、妖怪や怪異をテーマとした作品群。この分野を語るうえで決して欠くことができないのが京極夏彦。彼の代表作となった百鬼夜行シリーズからは、第一作の『姑獲鳥の夏』を八巻に採ることとした。事件関係者が抱えこんだ妄想を憑物に見立て祓い落とす京極堂、友人の小説家関口巽《せきぐちたつみ》、破天荒な名探偵の榎木津礼二郎《えのきづれいじろう》、屈強な刑事の木場修太郎《きばしゅうたろう》。デビュー作とは思えぬほど完成度の高い作品世界がのっけから展開する。これに並べるのは、三津田信三の刀城言耶《とうじょうげんや》シリーズ第一作『厭魅の如き憑くもの』。神隠しの伝承が残り、二つの旧家が対立する山村で起きた怪死事件を軸に、ホラーとミステリをハイブリッドした物語が語られる。憑物をモチーフとするこれら二作に対し、怪の導入の仕方に独特の捻り《ツイスト》を加えたのが、九巻に収録する殊能将之『黒い仏』と城平京『虚構推理』である。

探偵の推理は、事件の謎を説明する唯一無二の結論たることが求められる。しかし、世間には偶然に左右される事象も数多く、絶対的な因果の糸を紡ぎだすのは難しいケースもままある。

十巻「**偶然と必然**」には、そうした確率論的な振る舞いを描いたミステリや、その偶然性さえも必然へと強引に転化させてしまう異色の作品を集めた。まずは、蓋然性《プロバビリティ》の犯罪の古典として名高い谷崎潤一郎「途上」と、江戸川乱歩「赤い部屋」を並べてみよう。続けて、運否天賦のルーレットに必勝法を見出した男の運命をめぐる久生十蘭の短編「黒い手帳」をどうぞ。巻末を飾るのは山口雅也の怪作『奇偶』。9・11同時多発テロの当日、主人公の小説家はカジノで奇妙な偶然の連鎖を目撃する。二つの骰子《ダイス》を振って出目を当てる賭博を観戦していたおり、ゲームに参加していた矮人が、四回連続して六のゾロ目に賭けるという暴挙に出て、しかも的中させてしまったのだ。この目が連続して出現する確率は、実に百六十七万九千六百十六分の一。そんな椿事を契機に、小説家は自らが陰と陽の二つに分かれてゆく錯覚に囚われ、「考えうることは、どんなに途方もないことでも、起こりうる」という妄想へのめりこんでゆく。

以上が本編全十巻の構成である。このように当叢書は本邦作品でまとめたが、別巻一は「**海外編**」にあてた。ラインナップは、短編としては、エドガー・アラン・ポオ「アッシャー家の崩壊」、G・K・チェスタトン「イズレイル・ガウの誉れ」(『ブラウン神父の童心』所収)、ホルヘ・ルイス・ボルヘス「八岐の園」(『伝奇集』所収)。カミの『名探偵オルメス』は、各編がショートショートの分量なので短編集を丸ごと採録したい。長編としては、ルイス・キャロルの『鏡の国のアリス』とエラリー・クイーンの『盤面の敵』を採る。日本編とうまい具合に共鳴するセレクションになったと思うのだが、いかがだろうか。

そして別巻二は「**評論編**」として、高山宏の『殺す・集める・読む　推理小説特殊講義』を主軸に据える。シャーロック・ホームズの世紀末や、二〇世紀の世界大戦をテーマに、異論理の繁茂するありさまを剔抉した傑作評論。そして、探偵小説評論そのものではないが、本書の着想の源となった文学評論としてエリザベス・シューエル『ノンセンスの領域』、ロザリー・L・コリー『パラドクシア・エピデミカ　ルネサンスにおけるパラドックスの伝統』を採ろう……と思ったのだが、両著とも大冊ゆえ、合本で読もうとすると腱鞘炎発症が必至である。このため、二冊のエッセンスともいえる評論として、シューエルは「ルイス・キャロルの作品と現代世界にみるノンセンスのシステム」（新装版『ノンセンスの領域』所収）、コリーは「文学のパラドクス」（叢書ヒストリー・オブ・アイディアズ7『愚者の知恵』所収）に代えたい。

死のカードあわせ
——可動式アンソロジーのすすめ

巽昌章

アンソロジストは作品の選択だけでなくその配列にも凝るものです。ある小説を、どのようなくくりの下に読むか、どの作品の次に読むかは、しばしば読後の印象を左右することさえあるでしょう。それどころか、アンソロジーを編むという作業は、ひとつの作品を様々な作品群と結び合わせ、あらたな関係の発見をめざすといった領域に踏み込むことがあるのです。

たとえば、戦前の探偵小説は独特の死のにおいに満ちています。「二銭銅貨《にせんどうか》」のような人の死なない探偵小説も数多いとはいえ、私たちはやはり、猟奇殺人、死体装飾、ネクロフィリアといった、おどろおどろしく、この世離れした、どこかエロティックな死の姿を、探偵小説のあちこちに見つけないわけにはいかない。探偵小説の領土の大半は、死の想念に覆われたほの暗い空の下にあり、そこには、権田萬治《ごんだまんじ》が「科学恐怖の夢」と呼んだような、近代科学の驚異と肉体損壊の不安が同居し、冷酷な合理主義の切れ味とじっとりした日常感覚が融合した土壌が広がっているのです。

ところが、その死のにおいの正体は何なのか、探偵小説と死のイメージはどのように結びついていたのか――などと考えはじめると悩ましくなってきます。いろんな作品を頭に浮かべるうち、そこにある種の法則のようなものが見える瞬間があるけれども、観点を変えると別の筋道があるようにも思えてきて、いつしか脳内がごたついてしまうのです。そもそも、探偵小説がたったひとつの原理で説明できるわけはありませんから、ごたつくのは当然でもありましょう。なるほど、江戸川乱歩《えどがわらんぽ》が『黒蜥蜴《くろとかげ》』などの小説で鮮烈に印象づけた、死者を支配して禁断の愉楽をむさぼろうとするネクロフィリア的志向は、探偵小説の世界で無視し難い果実を残しています。しかし、この志向といえども単独で探偵小説の支配原理になっているわけではありません。ひとつの短編小説の中ですら、ある志向が他の志向と同居して、複雑な味をかもしだしていることでしょう。作品Ａと作品Ｂを並べると、そこには共通の志向が見えてくるが、ＡとＣを並べると、今度は別の共通点があるようにも思われる。こうして、観点を変えてゆくことによって、ある小説とＡ、Ｂ、Ｃ……といった様々な小説がつながりあっている姿がうかびあがるはずです。探偵小説はなぜ死のにおいを漂わせるのか、といった問いにも、このやり方で探りを入れることができるのではないでしょうか。

そこで、こんな試みをしてみます。いわば可動式アンソロジーです。まず、白いカードを用意して、一枚ずつ次のような作者名とタイトルを記入します。

江戸川乱歩　**「白昼夢《はくちゅうむ》」「蟲《むし》」「一枚の切符」**
水谷準《みずたにじゅん》　**「胡桃園《くるみえん》の青白《あおじろ》き番人《ばんにん》」「お・それ・みお」**
小栗虫太郎《おぐりむしたろう》　**「夢殿殺人事件《ゆめどのさつじんじけん》」「失楽園殺人事件《しつらくえんさつじんじけん》」**
横溝正史《よこみぞせいし》　**「蔵の中」「かひやぐら物語」「面影双紙《おもかげそうし》」**

久生十蘭《ひさおじゅうらん》　「月光と硫酸」「昆虫図」
夢野久作《ゆめのきゅうさく》　「難船小僧」「人間腸詰」「木魂」
岡本綺堂《おかもときどう》　「春の雪解」
小酒井不木《こさかいふぼく》　「恋愛曲線」「人工心臓」
大阪圭吉《おおさかけいきち》　「とむらい機関車」「三狂人」
海野十三《うんのじゅうざ》　「生きている腸《はらわた》」「俘囚《ふしゅう》」「爬虫館事件《はちゅうかんじけん》」「人間灰」
高橋鐵《たかはしてつ》　「怪船「人魚号」」
木々高太郎《きぎたかたろう》　「睡《ねむ》り人形《にんぎょう》」
蘭郁二郎《らんいくじろう》　「魔像」「腐《くさ》った蜉蝣《かげろう》」
葛山二郎《くずやまじろう》　「股から覗く」

何かしら死への特異なアプローチを示している短編を選んだものですが、選択にたいした意味はありません。皆さんで、任意に追加や削除をしていただけばよいのです。

さて、カードが用意できたら、どれか一枚をテーブルに置きます。「白昼夢」にしてみましょうか。これは、妻の死体を屍蠟《しろう》に仕立てて永遠の愛を注ごうとする男の物語です。死者と暮らす異様な愛の理想郷——たしかに、こうした夢想は、戦前探偵小説に顕著なひとつの傾向です。とはいえ、彼のすみかは、同じ乱歩の『蜘蛛男《くもおとこ》』や『黒蜥蜴』のような豪奢な隠れ家ではなく、理想郷というにはあまりにうらぶれた街の片隅です。

それなら、右隣にはこれと通じ合う発想でありつつ、より閉鎖的な理想郷志向の度合いが高い「胡桃園の青白き番人」を並べてみましょう。水谷準は、このほかにも、「お・それ・みお」や「恋人を食べる話」などのネクロフィリア的な短編を書いています。とりわけ、幼いころの記憶が陰鬱な破局へとつながってゆくこの「胡桃園」は、死者と二人きりで小さな世界に閉じこもろうとする夢想が際立っているといえるでしょう。

病がちな美少年が、土蔵の中を、「千鶴人形や、オルゴールのついた時計や、遠眼鏡や、草双紙や、その他さまざまな過去の幻や魑魅魍魎《ちみもうりょう》」に満ち満ちた小天地に仕立て、そこで亡き姉の思い出にふけりながら暮らしているのが、横溝正史の「蔵の中」です。彼は生きたままその身を死の理想郷の中に封じ込めた人間であり、「胡桃園」よりも一層凝りぬいた環境を作り上げたという意味で、さらに右にもってくることにします。

人工的な小世界にとじこもり、死者とともに永遠を生きる——そんな夢想に憑かれた作家に、小栗虫太郎がいます。虫太郎はある時期、豪奢な怪奇画の中に死者を塗りこめたかのような小説に心血を注ぎ、その精華として、代表作『黒死館殺人事件』やグロの極致として名高い「失楽園殺人事件」を数えることができます。しかし、同じく名探偵法水麟太郎《のりみずりんたろう》の活躍する「夢殿殺人事件」こそ、『黒死館』

以上の完成度を誇る斯道の極北と呼ぶべきものです。密室で殺された神秘行者。あたりには金泥が散り敷き、血を吸い尽くされた死体には梵字の傷跡が歴然と残っている――ほの暗い寺院の奥に、孔雀《くじゃく》明王《みょうおう》が降り立って死の饗宴をもたらしたかのような情景を物語るくだりは、読み手を陶然とさせずにおきません。

それゆえ、これを「蔵の中」の右に置きます。だが、人工的な死の理想郷という軸は、「夢殿殺人事件」が最右翼で、その右には何も来ないのでしょうか。それにはひとつの疑問があります。「夢殿殺人事件」は、死の生々しさを封じ切ってはいません。かえって、忘れ難い印象を残すのは、「然し、その重い網扉がけたたましい車金具の音と共に開かれ、鉄気《かなけ》が鼻頭から遠ざかると同時に、密閉された熱気でムッと噎《む》せ返るような臭気を、真近に感じた」だの「全身には大出血特有の不気味な羸痩《るいそう》が現われ、弛《たる》んだ皮膚は波打って、それが薄気味悪く、燐光色に透き通って見えるのだった」だのといった、読み手が食欲をなくすような暑苦しい言葉のありさまです。ひるがえってみれば、「白昼夢」は晩春の蒸し暑い午後、ほこりっぽい場末を徘徊する語り手が薬屋の店頭におかれた「いまわしいろう細工の腫物」と出会うところでクライマックスを迎える小説でした。その生々しい肉感性は、なぜか「夢殿」にも共有されているのです。いかに人工的、観念的な世界を作り上げようとも、こうした読者の生理を逆なでするような肉感性を手放さないところに、私たちのイメージする「探偵小説らしさ」があるのではないでしょうか。したがって、「夢殿」の右には「白昼夢」を置き、ぐるりと循環させてもさしつかえないのです。

ところで、「白昼夢」にしても他の作品にしても、死体をめぐる夢想は決して科学知識と無縁ではありません。屍蝋化によって死体の永久保存をはかるといったふうに、空想的に誇張されているとはいえ、核となるアイディアは近代科学に由来しているのです。この意味でも「夢殿」はひとつの極であり、宗教的妄想のような事件が、トンデモ法医学の大盤振る舞いによって「解明」されるわけです。

そこで、今度は科学的空想という軸を想定し、「夢殿」の上に、ＳＦの先駆者海野十三が物語る死体玩弄譚「生きている腸」を置いてみましょう。死体から切り取った腸の一片と暮らす医学生の運命は、意外にカラッとした筆致で描かれていて、読者はむしろ、子猫のように振舞う腸の姿に愛らしさをおぼえることでしょう。しかし、その愛らしさこそが、医学生を死の世界へと誘うのです。

その上に、こちらは本物の医学者作家である小酒井不木の「恋愛曲線」を置くことにします。さらに上には、これまた医学者である木々高太郎の「睡り人形」を置きましょう。「恋愛曲線」は、心臓の鼓動と恋愛感情が相関するというロマン的な幻想に、解剖学的な生々しさが重ねあわされて独自の世界を作り、生ける死者を作り出そうとする狂気を描く「睡り人形」の方は、時代が昭和に入っているせいか、はたまた作者の性格の違いなのか、幻想より医学の冷厳さの方が前面に出ているように思われます。しかし、どちらも医学的なまなざしが生と死の境界を見極めようとする話のはずなのに、どこかで話が死の理想郷の方へと横滑りしていきます。いや、横滑りではなく、医学の力を駆使して生死の境を拡大し、その薄命の領域に目を凝らそうとする志向自体が、人をおのずと死の誘惑にさらすのかもしれません。より医学的にリアルなはずの「睡り人形」は、かえって、密室の中で死者と共に生きるほの暗い至福境を印象付ける結果になっています。つまり、「睡り人形」の右側には、「白昼夢」や「胡桃園の青白い番人」が並んでいておかしくないわけです。

しかし、このたびは「睡り人形」の右側に「とむらい機関車」を置くことにします。これが轢死を扱った探偵小説の代表作だからです。ある時期、轢死は一種特権的な死として扱われたようで、田山花袋、夏目漱石、国木田独歩といった人たちの作品にも、列車に轢かれて死ぬことへの特異な関心がみてとれます。探偵小説の領分では、乱歩の「一枚の切符」、夢野久作の「木魂」、蘭郁二郎の「鉄路」などもありますが、代表格は「とむらい機関車」と「股から覗く」だろうと思います。とはいえ、なぜこの位置なのか？それは、轢死が作家たちをひきつけた理由に、医学的な空想と共通する何かがあるからです。列車という近代科学の権化が人体の断面をあらわにし、人間を肉塊に変えてしまう、その瞬間に向けられた作家のまなざしは、解剖、人体実験、人体模型などへの猟奇的関心へとつながっているに違いありません。「とむらい機関車」にあらわれるおそろしく克明な死体描写は、まさにそういうものなので、医学的なまなざしを妄想化した「睡り人形」の隣にあっておかしくないわけです。

すると、「股から覗く」は「とむらい機関車」の右側に置くべきか、ということになりますが、「睡り人形」の左に置きます。轢死が小説家たちを呪縛した理由はもうひとつ考えられます。それは、人工的に引き伸ばされた死だということです。線路に横たわった犠牲者にとって、死はまだ到来していないが、数瞬後に確実に到来するものです。線路の振動と轟音がその接近を告げる中で、ひとの脳内には何が去来するのか。乱歩も「一枚の切符」で示唆しているように、作家たちは、轢死を待つ者が残されたわずかな時間に紡ぐ心象に目を注ごうとしたのです。きわめて凝縮された時間であるがゆえに、これを無限に拡大したい、微分したいという欲望が呼び覚まされます。

そういえば、夢野久作はエッセイ「書けない探偵小説」で、海辺の断崖から突き落とされた娘が、崖下の岩に向かって落ちてゆく「その何秒かの間の彼女の回想の高速フィルムの全回転が、そっくりそのまま驚愕と、恐怖に満ち満ちた長編小説として書けないものであろうか」と語っていました。そこには、映画という近代の技術をヒントにして、轢死への関心と同様に、死に向かうわずかな時間を微分したいという欲望があらわになっています。轢死がもつこうした魅惑を鮮やかに形象化したのが「股から覗く」にほかなりません。

それはまた、医学の力を借りて生から死への道のりを無限に引き延ばそうとする「睡り人形」とも通じ合っているのです。

まだだいぶカードが残っています。組み合わせ方も無数にあるはずです。しかし、後は皆さまめいめいの試みに委ねましょう。ただ、最後に、一枚の特異なカードに触れておきます。半七捕物帳の一編、「春の雪解」です。私にいわせれば、これはジョーカーみたいなもので、孤立しているともオールマイティとも受け取っていただけばよい。雰囲気豊かな物語の果てにあらわれる死の味わいは、他のどの作品とも違っています。それは、「春の雪解」が時代小説だからではなく、まして綺堂が乱歩たちより古風な情緒の世界に生きた人間だからでもありません。逆に、綺堂の語りこそ他の誰よりも非情な合理性に貫かれていると私は思います。過ぎ去った江戸の夢を追っているかのような「春の雪解」の語りには、その実、「死」に対する甘い夢など微塵もない。この一枚を中央に置いて他のカードを周囲に並べてみれば、探偵小説が死をめぐって繰り広げた夢想が、一気に相対化されてしまうような、そんな気さえするのです。

ミステリのフロンティアはここだ
——ＫＫ房ミステロイド文庫・創刊！

千野帽子

ある程度小説を読んだ人ならわかると思うけれど、「ジャンル」というものの輪郭は自明ではない。

それで、本稿の初出誌である光文社《ジャーロ》に「謎と神話のあいだ」という文章を連載させていただいた。本稿はその連載の第四回と同じ号に掲載された。連載では神話や古典文学、あるいは伝説や民話といった前近代の物語文学から、「謎」の魅力を説きはじめようとした。

英米の探偵小説論ではお約束のように出てくる、古代ギリシアの悲劇作家ソポクレスの代表作『オイディプス王』を手始めにうっかり取り上げたところ、久しぶりに読み返してみたらこれが思いのほか凝った構成になっていたので、仕組みを解きほぐすのに字数がかかってしまい、第二回から第五回まで、まるまる四回分を『オイディプス王』の分析に使ってしまった。同誌は当時年三回発行だったので、一年以上『オイディプス王』にかかわったことになってしまう（現在は隔月刊）。

『オイディプス王』にあまりに惚れ惚れしてしまったので、脳内にこんな文庫本カヴァー表4（裏表紙）用惹句が思い浮かんでしまった。

■そ一―一　ソポクレス『オイディプス王』高津春繁《こうづはるしげ》訳

災厄の都市国家に謎めいた神託がくだる。王を殺したのは盗賊団か？　それとも「私」か？　「私」は、そして愛しい妻は、いったいなにものなのか？　人気劇作家が世界ミステリ史上もっとも早く「探偵＝犯人」パターンを確立し、フロイトも夢中になった倒叙形式のミステリ劇の幕が、いま開く！

ついでに、帯文には「蜷川幸雄《にながわゆきお》氏絶讃」とか「大ディオニュシア演劇祭参加」とかの文言が入るだろうな、とだれに頼まれたわけでもないのに考えてしまった。

それにしても「そ一―一」だ。どうやら文庫本らしい。文言を考えたときに、棚差しにされて並んでいる一連の背表紙まで見えてしまっていた。こうなったらレーベル名を考えなければならない。

掲載時には媒体の版元に敬意を表して「K文社ミステロイド文庫」としたが、いま改めて単行本の版元に敬意を表して、「KK房ミステロイド文庫」とするのはどうだろう。

〈ミステロイド〉という語は、竹本健治《たけもとけんじ》さんの『ウロボロスの偽書』に〈擬似推理小説《ミステロイド》〉という表記で出てくる。謎解き探偵小説に似ているが、一般にそのジャンルに期待されるような「論理的な解明」で「割り切れた解決」に着地するとはかぎらない小説、という感じ。

本稿では、〈ミステロイド〉という語を発明した竹本健治さんの意味づけをさらに無理矢理拡大解釈してみることにする。一般に「ミステリ小説」に期待されるような形でなくとも、「謎」の魅力や「解明」の魅力を味わわせてくれる文学作品は存在する。大型書店でそういうものを集めた平台展開をやってくれたらきっと楽しいし、それはきっと「ＫＫ房ミステロイド文庫」全点フェアという感じのものになるのではないだろうか。

レーベルのキャッチコピーも考えた。

「ミステリのフロンティアはここだ」

あ、これはアウトですね。東京創元社に《ミステリ・フロンティア》という叢書があるので。

でもじっさいのところ、探偵小説のほんとうの意味でのフロンティア＝国境地方＝境界地域＝限界＝未開拓分野、なんなら最前線とは、けっして「最新モードの探偵小説」ではなくて、「謎があるけど探偵小説とみなされない小説」のほうにあると、これは本気で考えている。

つまりこの架空の文庫レーベルは、現在「ミステリ」と呼ばれている分野がなにを切り捨ててきたかに焦点を当てたレーベルなのだ。

だから、「へー、こんなミステリ小説があったんだ」というような通常の叢書やアンソロジーの役割をくるりと反転して、「へー、こう読めるのか」という興味のほうに特化してみた。通常の叢書やアンソロジーが、読者の手持ちの解釈格子に合った作品を掘り出してくる傾向があるのにたいして、ＫＫ房ミステロイド文庫は、読む僕らの解釈格子そのものを新しく組み替える試みなのだ。

光文社古典新訳文庫のカヴァー表4の惹句が一〇〇字から一二〇字程度なので、その範囲を大きく逸脱しない程度に、煽り文句を考えてみた。

■いーーー　伊井直行《いいなおゆき》『さして重要でない一日』

たちの悪いダジャレを好む会社員・佐藤《さとう》は、自分が作った会議資料のコピーミスを発見する。しかし原本は行方不明になってしまった。会議の時間が迫るなか、社内をさまよう佐藤の前にあらわれるのは、なぜか冷淡な女子社員たち、謎の部署「社内局」、そして地下にあるという「コピー機の墓場」。資料は人数分揃うのか？

■えーーー　ウンベルト・エーコ『フーコーの振り子』
藤村昌昭《ふじむらまさあき》訳

金目当てにトンデモ本を作っていたベルボたちは、陰謀史観に凝り固まった変人に渡された「暗号文書」を使って、テンプル騎士団についての新たなトンデモ本を作ろうとするが、存在しない「秘密」を追うヤバい奴らに追われる羽目に……。イタリアの碩学が渾身の筆をふるったメタ伝奇小説にして暗号ミステリ。

■お一ー一～五　大西巨人《おおにしきょじん》『神聖喜劇』
（第四巻カヴァー表4惹句）

部外者が訪れることのない日本軍屯営のなかで起こった、日本刀をめぐる不可解な事件をめぐり、インテリの冬木二等兵が無辜の被疑者となった。超人的な記憶力を誇る主人公・東堂太郎は、冬木の過去を知り、この窮状を救うべく意見を述べようと立ち上がる。この巻で謎解きはクライマックスに。

■か一ー一　アルベール・カミュ『異邦人』窪田啓作《くぼたけいさく》訳

きょう、ママンが死んだ。心に空虚を抱えた男はピストルを手に、浜辺に向かう——。「なぜ殺った？」取り調べにたいして男が答えた奇想天外な動機とは？　アンニュイな地中海の夏を背景に、ノーベル賞作家が挑む究極のホワイダニット。ルキノ・ヴィスコンティ監督、マルチェロ・マストロヤンニ主演で映画化！

■さ一ー一　佐川光晴《さがわみつはる》『縮んだ愛』

埼玉県の小学校で教師をしている語り手・岡田と、彼が働いていた小学校のOBで札つきのワル・牧野。ひょんなことから再会したふたりは、なぜか飲み友だちになる。しかしある日牧野がなにものかに襲われ意識不明の重体に。最終章のどんでん返しに読者も騒然の野間文芸新人賞受賞作。

■た一ー一　高橋和巳《たかはしかずみ》『日本の悪霊』

過激な政治運動に身を投じた若き活動家。その行動の動機を探る、特攻隊上がりの刑事。反体制と国家権力を標榜するふたりのあいだに、世代を超え立場を超えた交流が生まれるが……。「苦悩教の教祖」と呼ばれ、若くして死んだ作者による問題作はのちに、連合赤軍山岳ベースのリンチ事件を予言したとも言われた。

■と一ー一～五　フョードル・M・ドストエフスキー
『カラマーゾフの兄弟』亀山郁夫《かめやまいくお》訳
（第四巻カヴァー表4惹句）

父を殺したのはだれか？　イヴァンに問いただされたスメルジャコフは意外な答えを残し、突発的な行動に。イヴァンは証言するために法廷にかけつける。ところが容疑者ドミートリイの裁判では、予想外の「証拠物件」の登場で法廷は大混乱。果たして注目の判決は？

■な一ー一　夏目漱石《なつめそうせき》『こゝろ』

帰省中の〈私〉のもとに届いた〈先生〉からの長文の遺書には、〈私〉が見てきた彼の謎めいた言動の秘密を解明する鍵があった。数十年前、若き日の〈先生〉の友人が密室状態の和室で変死したのだった。遺書を読み、過去の変死事件の謎を解いた〈私〉は、せめて第二第三の死者を出すまいと、慌てて東京行きの汽車に飛び乗るが……。「明治」という密室の扉を開く異色作。

■は一ー一　オノレ・ド・バルザック『コルネリユス卿』
沢崎浩平《さわさきこうへい》訳

一五世紀フランス。不幸な若妻と心正しい若者とのあいだにおこったロマンスに、王の金庫で発生する密室状態下の連続盗難事件とが、驚くべき形で交差する。名探偵にしてフランス王、ルイ一一世は、ふたつの問題を同時に解決する「実験」を思いつく。アリバイと密室に彩られた伝奇ロマン。

■は二ー一　羽田圭介《はだけいすけ》『黒冷水』

高校二年生の兄・正気《まさき》と、中学二年生の弟・習作《しゅうさく》。弟が兄の弱みを探ろうと部屋を家探しすれば、兄はそれを見越して弟を撃退する罠を仕掛けて待っている。いがみあうふたりの、執拗かつ陰湿なさぐりあいは、徐々にエスカレートしていくが……。クライマックスのあとに用意されたどんでん返しが鮮烈な、作者一七歳のデビュー作。

■ひ一ー一　トマス・ピンチョン『競売ナンバー49の叫び』
佐藤良明《さとうよしあき》訳

西海岸に住む平凡な主婦エディパは、億万長者として死んだ元カレの遺言執行人に指名される。その日から彼女の前には、「もうひとつのアメリカ史」を示唆する手がかりが続々と現れる。歴史を裏から支える非公式郵便組織は存在するのか？　それともこれは壮大なドッキリなのか？　その答えがオークション会場で明らかに！

■め一ー一　プロスペル・メリメ『イールのヴィーナス』
杉捷夫《すぎとしお》訳

南仏の美しい村では、ローマ時代のヴィーナス像が発掘されてから、禍々しいできごとが続いていた。そしてついに発掘者の長男が、婚礼の番に寝室で変死体で発見される。その家に逗留していた〈私〉は、目撃者証言を集め、侵入口と足跡を精査する……。オペラ『カルメン』の原作者が世に問うホラー感覚のミステリ。ほか二篇を収録。

ほんとうにキリがないのでこのあたりでやめておくし、読者のみなさんにも大喜利のようにやっていただけたらいいと思う。僕よりずっと上手にできるのではないか。それより、こうやって見てくると、いろいろ考えてしまう。

探偵小説が「謎―解明」の図式に特化した小説分野だということはまちがいないことだ。けれど、探偵小説をガッツリ語ろうという人は、「解明」、それも「論理的な解明」とか「フェアな論証」とかが好きすぎる。

いや、そういうのが探偵小説の醍醐味だろうと言われると、反論の材料の持ち合わせにはもちろん困るわけで、だからミステリ小説を語るとき、ついつい、謎をどう配置し、それがどう解明されるか、という工学的な話になってしまいがちなのはよくわかる。探偵小説好きの人はじつは「謎」のほうは自明視し、ひたすら「解明」のほうについて語りたがる。

要するに「解明」は工学的だ。正確に言うと、「解明」というものは、自分が工学的で応用科学的であることを、これ見よがしに強調しているものなのだ。

僕とて「論理的な解明」や「フェアな論証」の快を認めるにやぶさかではない。でもその快は「論理」や「フェアネス」が前提なのではなくて、その解明の果てにサプライズがあるからこその快なのだ。ただロジカルだったり、ただフェアだったりする証明過程が、物語としておもしろいというわけではないだろう。

「論理的な解明」とか「フェアな論証」とかの結果として「意外な真相」の驚きに到達するように書かれてはいても、それはあくまで物語上の「フリ」だと思う。謎解き探偵小説でも黄金期と呼ばれる時代の作品や、日本の「新本格」探偵小説のなかの、すぐれた作例は、真相を意外なものにするために解明の手順を論理的——にみえるよう——に粉飾し、ついでその解明にふさわしい謎を用意する、というような、逆算の建築術で建てられている。

つまり「謎—解明」という工学的問題の前に、そこから三歩くらい手前の問題がある。それが気になってしかたない。

その問題とは、そもそも人はなにを「謎」と感じるのか、そのとき人の読解に——誤解を恐れず言えば「脳」に——なにがおこっているのか、という問題なのだ。

「謎」の快のためには、論理的解明は必須ではないし、もしそれが答え合わせみたいなものになってしまうなら、もうないほうがいいくらいだと思う。むしろ『異邦人』なんて、答えのないホワイダニットとして読まないと退屈すぎるのだとも言える。

ライトミステリーの源流と現在

蔓葉信博

探偵小説、推理小説、ミステリー。呼び方はいろいろあれど「事件と謎と解決の物語」は古くから多くの読者に親しまれてきた。ミステリーファンの間では、音引きなしの「ミステリ」のほうが一般的であるが、なんとなく専門的にも見える。愛好家とまではいえない人々には、「ミステリー」のほうが一般的であろう。

というわけで、第五回となる架空のアンソロジー企画のコンセプトは「ライトミステリー」。音引きつきなのは、なんとなく専門的な用語感を避けた程度である。ライトという言葉が持つ親しみやすさに足並みをそろえる気持ちからだ。それはともかくライトミステリーという言葉が作品単体を示すのではなく、サブジャンル的な集まりを示すようになったのは比較的近年のことだ。私見では二〇一〇年の東川篤哉《ひがしがわとくや》『謎解きはディナーのあとで』の大ヒットを起点とし、一年間に豪華版・文庫本七冊という大型プロモーションを刊行してヒットにつなげた松岡圭祐《まつおかけいすけ》「万能鑑定士Q」シリーズに続き、それらとは少し傾向が異なりつつも三上延《みかみえん》『ビブリア古書堂の事件手帖』、岡崎琢磨《おかざきたくま》『珈琲店タレーランの事件簿』もヒットを飛ばし、結果としてひとつの隆盛を招いたことによる。ライトミステリーなるものを考えるならば、そうした現象が定義より先にあったことを念頭に置かねばならない。何かしらのジャンルが発生したとき、その定義はさまざまな偶発的現象を取捨選択しながら、さしあたっての取り決めとして一度成立し、その後にそのジャンル作品の発展とともに暫定的《ざんていてき》に取り決めた定義が、段々と厳密化していくものである。今のところは仮に表紙や文体、内容、レーベルなどによって、読者に対し何かしらのライトな印象を予見、ないしは読み進めるうちに与えるミステリー作品としておきたい。

では、その「ライト」とはなんであろうか。ミステリーでは「恐ろしい事件」「難解な謎」「鮮やかな解決」といった日々の生活から飛躍した内容が求められ、また、それらへと読者を誘《いざな》う巧みな表現技術が求められる。ただ、しばしばその娯楽表現の巧みさを競ううち、ジャンル内の教養が初心者に対して、ある種の抵抗として働くことがある。ジャンル内の蓄積を誰もが前提なしに楽しめるわけではないからだ。結果として、ジャンルとして発展していくうちに重厚さや精緻さを求める方向と、重厚ではないけれどジャンルとしての楽しみは活《い》かす方向とに分かれていくことになろう。その後者の結実のひとつがライトミステリーである。

こうした手軽さに重きを置いた表現形態のうち（手軽であることは決して価値判断的に欠点になるとは限らない）には、児童を対象としたジュブナイルミステリー作品や、また青少年向けに書かれたヤングアダルトないしライトノベル的なミステリーとライトミステリーは区別してみたい。ライトミステリーの隆盛は、それらと内実は似ていても異なる発生経路のはずだからだ。基本的にはニュートラルに中高生、もしくは少女・成年女性を対象として書かれたであろう作品、もしくは必ずしもそれが作者によって意識されているということでもなくとも、読者が自身を対象にして書かれたと認知されやすいようなレーベルやパッケージング・販路を経由したミステリーを、ここではライトミステリーとしておきたい。それを全二〇巻のアンソロジーとしたのが左記のラインナップだ。

◆ライトミステリーの現在

一巻：東川篤哉『謎解きはディナーのあとで』（二〇一〇）
二巻：松岡圭祐『万能鑑定士Qの事件簿Ⅰ・Ⅱ』（二〇一〇）
三巻：三上延『ビブリア古書堂の事件手帖』（二〇一一）
四巻：岡崎琢磨『珈琲店タレーランの事件簿』（二〇一二）
五巻：櫛木理宇《くしきりう》『ホーンテッド・キャンパス』（二〇一二）
六巻：太田紫織《おおたしおり》『櫻子《さくらこ》さんの足下には死体が埋まっている』（二〇一三）
七巻：西尾維新《にしおいしん》『掟上今日子の備忘録』（二〇一四）
八巻：河野裕《こうのゆたか》『いなくなれ、群青』（二〇一四）
九巻：瀬川《せがわ》コウ『謎好き乙女と奪われた青春』（二〇一五）
十巻：城平京《しろだいらきょう》『雨の日も神様と相撲を』（二〇一六）

◆ライトミステリーの源流

一巻：仁木悦子《にきえつこ》『猫は知っていた』（一九五七）
二巻：小峰元《こみねげん》『アルキメデスは手を汚さない』（一九七三）
三巻：赤川次郎《あかがわじろう》『三毛猫ホームズの推理』（一九七八）
四巻：山浦弘靖《やまうらひろやす》『殺人切符はハート色』（一九八五）
五巻：東直己《あずまなおみ》『探偵はバーにいる』（一九九二）
六巻：吉村達也《よしむらたつや》『金閣寺の惨劇』『銀閣寺の惨劇』（一九九三）
七巻：神永学《かみながまなぶ》『心霊探偵八雲』（二〇〇四）
八巻：大崎梢《おおさきこずえ》『配達あかずきん 成風堂書店事件メモ』（二〇〇六）
九巻：円居挽《まどいばん》『丸太町《まるたまち》ルヴォワール』（二〇〇九）
十巻：戸板康二《といたやすじ》「グリーン車の子供」（一九七六）
北村薫《きたむらかおる》「織部《おりべ》の霊」（一九八九）
山口雅也《やまぐちまさや》「十三回目の不吉なお見合い」（一九九六）
北森鴻《きたもりこう》「花の下にて春死なむ」（一九九八）
乙一《おついち》「暗黒系 Goth」（二〇〇二）
初野晴《はつのせい》「退出ゲーム」（二〇〇八）

※年号はすべて単行本刊行年

このアンソロジーの眼目はライトミステリーとともに、それらの源流といえる作品もあわせておさめたことにある。現在編が二〇一六年時点でほぼライトミステリーと呼ばれる作品をおさめ、その源流といえるような作品を二〇一〇年以前から選び源流編としてまとめた。ライトミステリーとサブジャンル的に区分されるまえから、類似した作品が刊行されていたと考えており、年代順でかつライトミステリーの特色を最初に示した作品を選んでみた。なお、二〇一七年からはライトミステリーの勢いを飲み込むかたちで「特殊設定ミステリ」ブームがはじまる。ライトミステリーのサブジャンルとしての役目はここで一区切りがつくため、やや強引ではあるが、アンソロジーもこの時点までを「現在」とした。詳しくは限界研編『現代ミステリとは何か』のまえがきを参照されたい。

現在編の**一巻**は東川篤哉のブレイク作で、本屋大賞受賞時の作者の言葉にもあるように、この作品で謎解きも十分楽しめる本格ミステリーでありながら、ユーモアミステリーとしても親しみを失わずむしろ一層輝きを増すことを示した。それは続くＴＶドラマ化・映画化のヒットからもうかがえよう。

二巻から七巻までは「キャラノベ」「ライト文芸」といったあらたな流行のなかで話題となった作品で、多くがドラマ化・映画化・コミカライズされている。二巻の『万能鑑定士Ｑの事件簿Ⅰ・Ⅱ』が「Ⅰ」「Ⅱ」の併記なのは、同時刊行された事実上の前後編だからだ。その「万能鑑定士Ｑ」シリーズの探偵役が鑑定士、三巻の「ビブリア」シリーズが古書店主、第四巻の「タレーラン」シリーズではバリスタ、第六巻「櫻子さん」シリーズでは標本士と、特殊な職能が推理と連携しており、「お仕事ミステリー」としても話題が広まった。

五巻の『ホーンテッド・キャンパス』はホラー作品ではあるが、怪奇事件を大学オカルト研のメンバーが解決するミステリーでもあった。後に説明する『心霊探偵八雲』や二〇〇七年から続く藤木稟「バチカン奇跡調査官」シリーズなど、ホラーなどのジャンルオーバー的作品もライトミステリーという場だから包括できるのだろう。

八巻から十巻は、ライトなエンターテインメント小説をより定着化させようと生まれた「新潮文庫nex」「講談社タイガ」から選んでいる。いずれも学園ミステリーの体裁でありながら、『いなくなれ、群青』はファンタジー、『雨の日も神様と相撲を』はＳＦという異色の作品でもある。『謎好き乙女と奪われた青春』だけは通常の学園ものだが、近年話題のジャンル設定を転倒させるミステリーの系譜に連なるものであり、学園ものと油断していると思いがけない結末を目にするはずだ。

源流編の一巻『**猫は知っていた**』、二巻『**アルキメデスは手を汚さない**』はともに江戸川乱歩賞の受賞作であり、親しみやすい内容から当時のベストセラーを飾った。前者は町の病院を舞台とした青年と少女の素人探偵コンビものとして、後者は主人公については同一ではないが歴史的人物名を冠する学園ミステリーものとして、それぞれシリーズ刊行した。アンソロジーからは漏れたが、同じく乱歩賞受賞作『ぼくらの時代』から始まる栗本薫《くりもとかおる》「ぼくら」シリーズを現在への中継地点としてもいいだろう。

三巻の『**三毛猫ホームズの推理**』は、ユーモアミステリーが一般的なミステリーの代表として読まれていたことにより選ばれている。また男女コンビ＋マスコットキャラという組み合わせを決定づけた作品ともいえるだろう。

四巻の『**殺人切符はハート色**』は少女小説レーベルのコバルト文庫より、最も巻数を重ねたミステリー系作品から選んだ。一般文芸とは一線を画した少女視点の語り口は多くの少女の心をつかみ、コバルト文庫隆盛の一翼を担ったシリーズ。謎解きというよりは犯罪事件をシナリオに織り込んだラブコメサスペンスというべき内容で、男女コンビ＋マスコットキャラのやり取りも楽しい。二〇一〇年以降のライトミステリーが少女小説のミステリーを読んできた成人女性の読み物として受け入れられていることはしばしば指摘されていることであり、他にもコバルト文庫の赤川次郎の「吸血鬼はお年ごろ」シリーズや、講談社X文庫ティーンズハートの風見潤《かざみじゅん》「幽霊事件」シリーズなどを参照してもいいだろう。なお少女小説レーベルがライトノベルかどうかという議論もあるが、ここでは紙幅の都合で保留とさせていただきたい。

五巻の『**探偵はバーにいる**』は、軽ハードボイルドとして多くの読者に親しまれているシリーズであり、少女小説的な傾向とは対極にあるようでいて、八〇、九〇年代の翻訳小説ブームの女性読者の受け皿としても読まれている背景がセレクトの理由だ。なによりもライトミステリーのライトが必ずしも名探偵が謎解きをする本格ミステリーとの対立項ではないことはくれぐれも留意されたい。

六巻の『**金閣寺の惨劇**』『**銀閣寺の惨劇**』は二冊読み終えることで驚愕の真相が明らかになるという大仕掛けを秘めたトラベルミステリーである。当時のトラベルミステリーのうち、女性読者も多く存在した斎藤栄《さいとうさかえ》「タロット日美子《ひみこ》」シリーズや、内田康夫《うちだやすお》「浅見光彦《あさみみつひこ》」シリーズなども実際のところはライトミステリーと近い位置にあるものと考えている。そのなかでこの二作品がふさわしいかどうかはやや不安なところではあるが、それら長大なシリーズの勘所を選ぶまでの余裕が筆者になかったためであり、ご寛恕願いたい。

七巻の『**心霊探偵八雲**』は自費出版ながらその後、編集者の目に止まって再刊行され、大人気シリーズとなったオカルトミステリーである。その刊行スタイルや、内容を考えた場合、現在のライトミステリーブームを準備する一大シリーズだったことは間違いなく、本シリーズを起点とするという見方もありえるだろう。

八巻の『**配達あかずきん 成風堂書店事件メモ**』は書店を舞台とした職業知識を活かした「日常の謎」の代表例として選ばれている。「成風堂《せいふうどう》書店事件メモ」シリーズのヒットが、その後のお仕事系「日常の謎」のバリエーションを広げたといえるのではなかろうか。

九巻『**丸太町ルヴォワール**』は法廷バトルものを論理と証拠のエンターテインメントにした新機軸でミステリーファンを唸らせ、さらにキャラクター表現を騙しに用いることのうまさを見せつけもした作品である。作者の円居挽はその後、「シャーロック・ノート」

シリーズほか、本格ミステリーとしてのライトミステリーに一番意識的だと思われるのだが、それを準備した作品が本作といっていいだろう。

　最終巻である十巻は、広く短編を集めた。「日常の謎」ものがサブジャンルとなる以前の「日常の謎」ものとして「**グリーン車の子供**」を、サブジャンルの道を切り拓いた『空飛ぶ馬』からは「**織部の霊**」を選んだ。北森鴻「**花の下にて春死なむ**」は今も数多く刊行される「お店」ものライトミステリーの先行例として収録している。接客というスタイルが、自然な形で謎を聞き答えを導く物語を可能にしているのだろう。「**十三回目の不吉なお見合い**」は「垂里冴子《すいりさえこ》」シリーズの第一作で、お見合いをするごとに事件に遭遇し、それを解決するという特殊なシチュエーションが何ともいえないおかしみを生み出している。ライトミステリーが親しみやすい理由のひとつは「軽い」と同時に「明るい」ということもあるが、しばしばスタイリッシュな「闇」を描く作品もある。「暗黒系 Goth」はその好例であり、続く数々のクールな短編シリーズは多くの読者に受け入れられた。「退出ゲーム」は、今も続く連作短編形式の学園ミステリーのひとつの到達点として選んでいる。二〇一〇年代のライトミステリーの隆盛を準備したひとつは、新本格勃興期からゆるやかに注目されてきた学園ミステリーだと考えるからだ。学園という舞台はユーモアやホラーなどさまざまなジャンルを包括しうる器として機能しているに違いない。

　以上、全二〇巻を紹介してきたわけだが、『猫は知っていた』以前の少年・少女小説のミステリー作品や「サンヤング」シリーズ、「ソノラマ文庫」シリーズのミステリー作品、またはノンシリーズものの学園ミステリーなど本アンソロジーに入るかもしれない作品は数多く考えられる。特に辻真先《つじまさき》の存在は大きいが、これまた極めて私見的な判断で、ライトミステリーというより、ライトノベルのミステリーの源流なのではと考え、今回ははずしているが当然異論はあると思われる。最後に筆者の立場が本格ミステリー寄りであるがゆえに、そうした傾向の作品が多いことは否めないが、それでも大枠のアウトラインは伝えられたことだろう。本アンソロジーで、二〇一〇年代にブームとなったライトミステリーを後々の世に伝えられれば、選者としてこれ以上の喜びはない。軽妙で明るくスマートでクールなミステリーをぜひ楽しんでいただきたい。

パリンプセストの舟
――メタハードボイルド全集（第一期）

法月綸太郎

一九七〇年代から八〇年代にかけて、「ネオ・ハードボイルド」と呼ばれるアメリカの私立探偵小説が数多く紹介された。命名したのは小鷹信光《こだかのぶみつ》で、「アメリカン・ニューシネマ」と同様、日本独自の用語である。六〇年代ラディカリズムの挫折とベトナム戦争の敗北を背景に、古典的なタフガイ探偵へのアンチテーゼとして、人間的な弱さや心の傷を抱えた主人公が続々と登場、ハードボイルドの再定義が求められた時代でもあった。

当時の傾向は「私立探偵小説の私小説化」（池上冬樹《いけがみふゆき》）、あるいは「ハードボイルドのキャラクター小説化」（杉江松恋《すぎえまつこい》）と要約されているが、そこで見落とされがちなのは、ジャンル小説であることを自覚した「メタ性の強調」という側面だろう。探偵小説という形式には、それ自体にメタ性やパロディ性や自己言及性が内在しており、ハードボイルド／私立探偵小説というジャンルもその例外ではない。本歌取りやパロディは、けっして本格ミステリの専売特許ではないのである。

小鷹信光によれば、ネオ・ハードボイルドの主人公は「現代のドン・キホーテたち」であるという。これを作者の立場に置き換えると、ネオ・ハードボイルドとは、ハードボイルド（＝現代の騎士道物語）を読みすぎた「私立探偵小説バカ」によるメタフィクションにほかならないことになる。今回の「メタハードボイルド全集」企画案では、アメリカのハードボイルド神話の解体／語り直しを意図したポストモダン小説として、ネオ・ハードボイルドのメタ性を再検討し、新たな可能性を見いだしていきたい。

メタハードボイルド全集（第一期）

第1巻　**ジョー・ゴアズ**
『ハメット』（一九七五）

第2巻　**リチャード・ブローティガン**
『バビロンを夢見て』（一九七七）

第3巻　**ロス・H・スペンサー**
『さればば愛しきコールガールよ』（一九七八）

第4巻　**ウィリアム・ヒョーツバーグ**
『堕ちる天使』（一九七八）

第5巻　**マイクル・Z・リューイン**
『表と裏』（一九八〇）

第6巻　**マーク・ショア**
『俺はレッド・ダイアモンド』（一九八三）

第7巻　**ディック・ロクティ**
『眠れる犬』（一九八五）

第8巻　**ポール・オースター**
『ガラスの街』（一九八五）

第9巻　**村上春樹《むらかみはるき》**
『世界の終りとハードボイルド・ワンダーランド』（一九八五）

第10巻　ジョージ・A・エフィンジャー
『重力が衰えるとき』（一九八七）
第11巻　スティーヴン・グリーンリーフ
『匿名原稿』（一九九一）
第12巻　ジョナサン・レセム
『マザーレス・ブルックリン』（一九九九）

メタハードボイルドの時代的な推移を俯瞰できるよう、発表年代順に作品を配列した。第一期としたのは、このリストがまだ不十分であること、とりわけ九〇年代以降の展開を追いきれていないせいだ。後述するように、メタハードボイルドの時代は八〇年代末にいったん幕を閉じており、それ以降の作品には新たな評価軸を用意しなければならない。要するに第11・12巻は、第二期の予告編（別巻）のようなものである。

第1巻『**ハメット**』の主人公は、ハードボイルドの始祖ハメット。旧友の探偵を殺した犯人を追って、禁酒法時代のサンフランシスコを奔走する。本書のポイントはピンカートン社時代の「探偵」ハメットではなく、「小説家」ハメットの物語であることだ。『赤い収穫』の完成直後、『デイン家の呪い』（ともに一九二九）の改稿中で、執筆に悩む場面が何度も出てくる。ゴアズは伝記的事実とハメット作品の本歌取りを継ぎ合わせ、凝りに凝ったメタフィクションに仕上げている。

第2巻『**バビロンを夢見て**』は米文学に革命を起こした『アメリカの鱒釣り』（一九六七）の作者が、「五つの異なるフィクションの形式に従って五年間で五つの小説を書く計画」に取り組んだ第四作。「私立探偵小説一九四二年」という副題がついている。真珠湾攻撃の翌月のサンフランシスコを舞台に、「バビロン」の白昼夢に取りつかれたダメ男C・カードのオフビートな逸脱ぶりを強調したメタハードボイルドの記念碑的作品。ジェイムズ・サーバー「虹をつかむ男」の私立探偵小説版であると同時に、ネオ・ハードボイルドの域に達した問題作だ。ジャンルの定型に背きすぎたため、発表当時は不評だったが、パルプ雑誌的な妄想と現実を対比した構成は、後続のメタハードボイルド作品に大きな影響を与えている。

続く第3巻『**されば愛しきコールガールよ**』は、私立探偵チャンス・パーデュー・シリーズの第一作。ブローティガンのC・カードをよりコミカルにしたナンセンスな筋立てや、一文ごとに改行する散文詩もどきの断章形式など、『バビロンを夢見て』のメタ性をわかりやすく仕立て直したような趣がある。各章の冒頭に掲げられたモンロー・D・アンダーウッドじいさんの「名（迷）言」も、『アメリカの鱒釣り』へのオマージュだろう。

第4巻『**堕ちる天使**』はハードボイルド版『火刑法廷』（一九三七）、ないし『ビロードの悪魔』（一九五一）というべきオカルト探偵小説の里程標的作品。作者のヒョーツバーグはブローティガンを中心とする通称「モンタナ・ギャング」（七〇年代にモンタナ州パラダイス・バレー周辺に集まった作家、芸術家、映画関係者のグループ）の一員で、二〇一二年にブローティガンの伝記 Jubilee Hitchhiker: The Life and Times of Richard Brautigan を発表している。本書の主人公ハリー・エンジェルは、C・カードとは正反対の腕利き探偵なのに、悪夢のような事件と破滅的な運命から逃れられない。ハードボイルドとオカルトの融合とは、抑圧された「バビロン」の夢がジャンルの定型にリベンジする敗者復活戦なのである。

『ハメット』で描かれた小説家／探偵の相克、『バビロンを夢見て』で描かれた夢／現実の落差――メタハードボイルドの二重性は、八〇年代に入ってさらに深化する。

第5巻**『表と裏』**はネオ・ハードボイルドを代表する知性派作家リューインが、アルバート・サムスン・シリーズの『沈黙のセールスマン』（一九七八）と『消えた女』（一九八一）の間に発表した異色作。スランプに陥った中年ハードボイルド作家ウィリーが友人の殺人事件に遭遇、探偵気取りで捜査に乗り出す一方、その経験が自身の創作に予想外の影響を及ぼしていく。ウィリーの捜査活動（奇数章）と執筆中のタイプ原稿（偶数章）を交互に並べた構成で、『ハメット』と『バビロンを夢見て』が合流したようなメタフィクションになっている。

偶数章の作中作に登場する私立探偵ハンクは、本家シリーズ探偵のサムスンとは似ても似つかぬマイク・ハマー風のタフガイだが、第6巻**『俺はレッド・ダイアモンド』**のタイトル・キャラクター、レッド・ダイアモンドも似たタイプのパルプ・ヒーローだ。パルプ雑誌の収集が唯一の生きがいである中年タクシー運転手のサイモンは、無理解な妻がコレクションを売り払ってしまったショックから、憧れのタフガイ探偵に変身、現実と妄想のはざまで揺れ動きながら、美女を救うためギャングとの戦いに身を投じる。マーティン・スコセッシ監督「タクシードライバー」（一九七六）を下敷きに、『バビロンを夢見て』の白昼夢と現実の関係を逆転させた野心作だが、レッド・ダイアモンドがドン・キホーテの末裔であることは、あらためて指摘するまでもないだろう。

ちなみにパルプ雑誌コレクターというキャラクターは、ビル・プロンジーニの「名無しの探偵」シリーズが先鞭をつけており、『殺意』（一九七三）や『脅迫』（一九八一）でパルプ雑誌のからんだ謎解きに挑んでいる。コリン・ウィルコックスとの合作『依頼人は三度襲われる』（一九七八）、マーシャ・マラーとの合作『ダブル』（一九八四）のように、シリーズ探偵の共演というマニアックな趣向にも目がないようだ。

作品自体は合作ではないが、第7巻**『眠れる犬』**では、カリフォルニアの中年私立探偵レオ・ブラッドワースと十四歳の女子高生セーラ・ダールクィストのコンビが、一章ずつ交互に語り手を務める。レオとセーラは同じ事件を題材にそれぞれ別の視点から一人称の小説、『犬のような死』と『犬の日々』を書き上げたが、双方の出版社が合併したため、「著しく目立つ重複個所は削除した上で、このふたつは一冊の本にまとめて出版されることになった」（「はじめに」）。リミックス的な構成が本書のミソで、ウォーレン・マーフィーはこうした語りの二重化を「『マルタの鷹』と『ライ麦畑でつかまえて』の交差するところ」と称賛している。レオとセーラの珍道中は、十四歳の少女が酔いどれ保安官の手を借りて父親の敵を討つチャールズ・ポーティスのウエスタン小説『トゥルー・グリット』（一九六八）に触発されたものだろう。

第8巻『**ガラスの街**』は、『幽霊たち』『鍵のかかった部屋』（ともに一九八六）に先立つ「ニューヨーク三部作」の第一作。探偵小説家ダニエル・クイン（ドン・キホーテのイニシャルと同じ）に、私立探偵ポール・オースターの事務所とまちがえて依頼の電話がかかってくる。洗練された文体でカフカ／ボルヘス的迷宮を描いたメタミステリだ。興味深いのはオースターが本書でデビューする前、ポール・ベンジャミン名義で『スクイズ・プレー』（一九八二）という正統派の私立探偵小説を書いていることだろう。『表と裏』の試みをより純化した小説という見方もできる。

第9巻『**世界の終りとハードボイルド・ワンダーランド**』は唯一の非英語圏作家の作品。村上春樹がチャンドラーの翻訳者であること、また「同時代としてのアメリカ5　都市小説の成立と展開——チャンドラーとチャンドラー以降」（「海」一九八二年五月号）で「ネオ・ハードボイルド作家」の凡庸化・セクト化を総括しているのを見れば、この全集に欠かせない作家であることがわかるはずだ。近未来の情報管理社会で計算士をしている「私」（「ハードボイルド・ワンダーランド」）と、閉ざされた街で夢を読んで暮らす「僕」（「世界の終り」）——二つの物語が同時進行する構成は『バビロンを夢見て』の延長線上にある。とりわけ後者のパートは、ブローティガン『西瓜糖の日々』（一九六八）のアイデスや『愛のゆくえ』（一九七一）の図書館の雰囲気に近い。

第10巻『**重力が衰えるとき**』は、近未来イスラム世界を舞台にした電脳ハードボイルド三部作の第一作。村上春樹と同様、サイバーパンク的な世界を描きながら、アラブの犯罪都市ブーダイーンの一匹狼を主役に据えることで、ハードボイルドの根幹にあるアメリカ中心主義を相対化している。電脳手術と疑似人格モジュールによって、名探偵ネロ・ウルフの記憶を獲得したり、ジェイムズ・ボンドのモジュールを装着した敵に襲われたりする場面は、ブローティガンの「バビロン」のハイテク化といえるだろう。

一九八九年、「ベルリンの壁」崩壊に象徴される東西冷戦の終結によって、本来的な意味でのメタハードボイルドはその役割を終えた。ハメットにしろ、スピレインにしろ、典型的なタフガイ探偵のアイデンティティーは、共産主義との緊張関係を抜きに語れないからである。別の意味で象徴的なのは、同じ年、ロバート・B・パーカーがチャンドラーの未完の遺稿『プードル・スプリングス物語』を引き継いで完成させたことだろう。パーカーの蛮勇が「メタ」を「ベタ」に変えてしまったといってもいい。

こうした「ベタ」化の好例が、第11巻『**匿名原稿**』である。私立探偵ジョン・タナー・シリーズの第七作で、出版社社長の依頼を受けたタナーは、実話めいた復讐譚を綴った未完の小説『ハムラビ法典を讃えて』の記述を頼りに、原稿の作者と欠落した結末を突き止めようとする。作中作が鍵となるヘレン・マクロイ風のビブリオ・ミステリで、タナーの言動もシリーズ名探偵の地位に安住しているようだ。謎解き小説としてよくできているだけに、メタハードボイルドという形式が口当たりのいいエンターテインメントに回収されてしまったことをいっそう痛感させられる。

第12巻『**マザーレス・ブルックリン**』は、ポスト・メタハードボイルドの時代を予感させる作品。レセムはＳＦハードボイルドの秀作『銃、ときどき音楽』（一九九四）を発表しているが、トゥーレット症候群患者の一人称という実験的文体に挑んだ本書は、私立探偵小説というジャンルをさらに更新しようとする意欲に満ちている。特筆すべきは疑似家族テーマを通して、ハードボイルドの世代継承性を検討していることだろう。そうした意味で、ドン・ウィンズロウのニール・ケアリー・シリーズ（一九九一〜）やジェフリー・フォード『ガラスのなかの少女』（二〇〇五）など、成長小説としての青春ハードボイルドにはまだ伸びしろがありそうだ。よりメタフィクション性の高いものでは、デイヴィッド・ボーマン『ぼくがミステリを書くまえ』（一九九二）のような作例がある。

九〇年代のブローティガン系には「史上最低の私立探偵」が荒唐無稽な事件に巻き込まれるチャールズ・ブコウスキーの怪作『パルプ』（一九九四）があり、ジャンルミックス路線では「恐竜ハードボイルド」という前代未聞の奇想を巧みに処理したエリック・ガルシア『さらば愛しき鉤爪』（一九九九）も忘れられない。また別の意味で目が離せないのは、二十一世紀に入ってトマス・ピンチョン『ＬＡヴァイス』（二〇〇九）、ロバート・クーヴァー『ノワール』（二〇一〇）、ジーン・ウルフ『書架の探偵』（二〇一五）など、ポストモダン文学の大御所が相次いで私立探偵小説のフォーマットを再利用していることだろう。こうした新しい動きも含めて、今回収録を見送った作品は「メタハードボイルド全集（第二期）」でフォローしていきたい。

映画原作短篇十選

並木士郎

トマス・バーク「シナ人と子供」
リチャード・コネル「最も危険なゲーム」
江戸川乱歩《えどがわらんぽ》「人間椅子」
横溝正史《よこみぞせいし》「蔵の中」
ウィリアム・アイリッシュ「裏窓」
ロアルド・ダール「番犬に注意」
フィリップ・K・ディック「変種第二号」
松本清張《まつもとせいちょう》「張込み」
リチャード・マシスン「激突!」
エドガー・アラン・ポオ「悪魔に首を賭けるな」

映画化されたミステリー小説というのは数知れずあるわけだが、こと短篇小説を原作とする場合は、長篇映画の尺に合わせて内容の改変なり工夫なりの必要が余計に迫られることになる。ここでは長篇映画化された短篇小説にかぎって、さしあたり十篇ばかりを選んでみた。作品の並びは、最後に置いたポオの作を除き、単純に発表年代の順である。

以下、各作品について解説していく。

トマス・バーク「シナ人と子供」（一九一六）

探偵小説ファンには「オッターモール氏の手」（一九三一）の作者として知られるトマス・バークは、映画史初期の名作『散り行く花』（一九一九、D・W・グリフィス監督）の原作者でもある。その原作となった「シナ人と子供」は、ロンドンのライムハウス（中華街）を舞台にしたバークの短篇集のなかの一篇で、内容は簡単にいうとメロドラマであるが、殺人に関するアイデアも用いられていて、広義のミステリー小説と呼んでもさしつかえはないと思う。かつてエラリー・クイーンも〈巧妙な殺人物語〉とこの小説を評した。

映画『散り行く花』では意図に合わなかったのか、原作のミステリー小説めいた結末部が改変されてしまっている。しかし全体の内容はほぼ原作に忠実で、サイレント映画ながら字幕にはバークの小説文章から直接引いたものも多く、この名作映画への原作者バークの貢献はかなり高いとみることもできよう。

リチャード・コネル「最も危険なゲーム」（一九二四）

船で遭難した人々を孤島の主人が親切に宿を提供してもてなすが、実は……という山んば伝説のごときお話は導入部で、コネルの作品が後世に多大な影響を残すことになったのは、人が人を狩るゲームを書いたマンハント小説の元祖だからである。いってみれば、「いまから殺し合いをしてもらいます」だの「ゲームの始まりです」だのいう台詞が出てくる殺人スリラーは、小説であれ映画であれ、みなこの作品直系の子孫といってよい。あるいは『そして誰もいなくなった』なども限定環境下で人を狩るゲームを書いているという点で、源流をたどれば、この短篇小説にたどりつくことになるのかもしれない。

直接の映画化作品『猟奇島』（一九三二）は、同時期に製作された『キング・コング』とスタッフ、キャストの一部が共通していて、日本題があらわすとおり怪奇映画の作風である。この場合の怪奇とは、文明人の異常心理とか狂気に起因するもので、離れ小島に都会を逃れた変人が住んでいるという設定自体は、H・G・ウェルズ「モロー博士の島」などの先例もあって目新しいとはいえないが、人狩りゲームのアイデアはよほどインパクトがあったとみえて、その後も何度か映画になり、骨組を借りた作品まで数えていけばきりがなくなる。

江戸川乱歩「人間椅子」（一九二五）

生誕百年の一九九四年あたりを機に乱歩の小説の映画化は続々と企画されるようになった。以来「人間椅子」も二度映画になっているが、いずれも原作と違って、椅子の外側にいる人々に焦点をあてたものになっている。ある意味当然で、椅子の中での告白が続く原作をそのまま映像化したら、画面がずっと真っ暗になってしまうであろう。

二度の映画化のうち、特に興味をひくのは最初のほうの水谷俊之《みずたにとしゆき》監督作『人間椅子』（一九九七）で、原作ではやや拍子抜けに感じられる結末部の趣向を略すことなく取り入れつつも、独自の工夫をこらすことで内容の緊密さを高めたミステリー映画に仕立てあげたところに意欲がみられる。しかし、どうしてもいわずにおれないのだが、乱歩の原作を補強すべくなされたはずの脚色が、出来上がってみるとルイス・ブニュエルの『昼顔』になってしまっているという、これは摩訶不思議な映画なのである。水谷監督にとって『昼顔』は男女愛の論理を解き明かす一種のミステリー映画なのかもしれない。実際のブニュエルの映画はそんなものとはいえないのだが、それをくわしく論じている余裕はここでは残念ながらない。

横溝正史「蔵の中」（一九三五）

短篇作品の映画化は案外少ない横溝正史である。高林陽一《たかばやしよういち》監督による映画『蔵の中』（一九八一）は公開当時、もっぱら主人公の姉役の松原留美子《まつばらるみこ》の話題が先行していたように記憶する。松原留美子はニューハーフなる造語が世に広まるきっかけとなった人であり、性別を隠したまま「美人」キャンペーンのモデルに選ばれたという武勇伝の持ち主である。映画では完全に女性役として出演しているが、どこか異質な「美女」と弟の作りものめいた演技、対するに演技達者な中尾彬《なかおあきら》と吉行和子《よしゆきかずこ》の愛人コンビ、つまり蔵の中と蔵の外の対比がこの映画の眼目になっているわけであった。

原作の小説は、盛り込んだ要素をやや消化しきれていないうらみもあり、ある要素（原作と映画の最たる内容的相違点）に関しては映画のほうが上手に処理されていたと思う。とはいえ、かなり細かいところまで小説文章の描写を忠実になぞった箇所も散見されて、原作に素材を借りただけの映画というわけでは決してなく、横溝正史の小説イメージに追従する意図をもった映画であることはたしかであろう。

ウィリアム・アイリッシュ「裏窓」（一九四二）

あまりにも有名なヒッチコックの同題映画（一九五四）は、アイリッシュの原作小説の設定をそのまま踏襲しながら、もちろん異なる点もある。映画では、原作にはないヒロインの役でグレース・ケリーが起用されている。閉鎖的シチュエーションの画面が続くゆえ、華をそえる意味でもこれは当然の処置であろう。

いっぽう、映画の主人公ジェームズ・スチュアートは足を骨折したギプス姿で最初から登場するが、小説のほうは違う。小説の冒頭、読者に知らされるのは、主人公がどういうわけか自室のベッドと窓を行き来するのが精一杯の状態になっている、ということだけである。よほど重病なのか、半身不随にでもなったのか、読者は暗い絶望的な主人公の境遇を漠然と想像しながらストーリーを読み進めることになる。

だが事件も解決し、最後の最後にいたって医者が登場して、じきにギプスがとれますよと告げることで、初めて主人公の状況が具体的にあきらかになり、読者は安堵と希望に包まれながら小説のページを閉じることになる。わざと事情説明を省き、最後に安心させるというこの小説叙述の工夫は、映画場面の強い先入観をもって原作の小説を読む人には、あるいは見落とされがちな部分かもしれない。

ストーリー設定の巧みさのみならず、そういうちょっとした読後感を左右する部分にまで気をきかせる配慮がアイリッシュの作家技術のたしかさであって、読者が求めるものを知り尽くしていた作家なのだといえよう。

ロアルド・ダール「番犬に注意」（一九四四）

戦地小説を集めたダールの最初の短篇集『飛行士たちの話』の一篇だが、はっきりトリックのある作品で、よりミステリー色の強い短篇集『あなたに似た人』や『キス・キス』に収録されていてもおかしくない仕上がりである。トリックのアイデア自体はシンプルなものながら、墜落負傷してベッドに横たわるパイロットが目にしたもの、耳にしたもの、さらに意識に漂う記憶や空想までが、ときにミスディレクションとなり、ときに手がかりともなって、そこから確かな事実を推理で導き出すという話になっている。

ジョージ・シートンが監督と脚本を担当した映画『３６時間　ノルマンディ緊急指令』（一九六五）は、ダールのこの短篇小説が原作クレジットこそされているが、基本アイデアだけを借りて全くの別物のお話に作り変えてある。一九六〇年代当時に流行したスパイ物の体裁をとり、大がかりな仕掛けをほどこして、原作以上にトリックを前面に打ち出した一風変わった映画なので、機会があればご覧いただきたい。

フィリップ・K・ディック「変種第二号」（一九五三）

ディックの短篇で映画になったものは数多い。そのなかでこれを選んだのは、映画化作品『スクリーマーズ』（一九九六）が、原作の内容を大幅に改変することなく、しかも長篇映画の尺を無理なくもたせたSFスリラー映画になっていると思うからである。それともうひとつ、殺戮という唯一の目的のために手段を試行錯誤し学習する機械兵器がこの作品には出てくるが、同趣向の殺戮機械が登場するフレッド・セイバーヘーゲンの《バーサーカー》シリーズなど、後世にひとつのスタイルを残した作品ではないかとも考えるからである。

ミステリーとしての興味は、これが計略の攻防を書いた作品だという点である。そこでは負傷兵や戦災孤児の姿をまとった殺戮兵器が敵軍を全滅に追い込んでいく。人間からみれば手段を選ばぬ卑怯な手とも映るが、一つの目的しか持たない機械からすれば、目的遂行のための最も効果的な手段を冷静な兵法家のごとくに選択しているわけである。「変種第二号」では作者ディックのテーマ執着もあり、機械が人間に化けるという策略に焦点がしぼられているが、セイバーヘーゲンの《バーサーカー》シリーズでは、目的のために変幻自在な手段選択をしてくる殺戮機械とそれに対抗する人類との、様々な知恵くらべが書かれていくことになる。

松本清張「張込み」（一九五五）

作者が流行作家として多忙になる以前に発表されたこの短篇は、抑制をきかせて丁寧に書かれた小品であるとともに、辛抱強く長時間の張り込み捜査を続ける刑事という典型像をもたらした作品でもある。これといったトリックや推理のひらめきは書かれていないが、愚直な捜査が最終的に実を結ぶ過程を淡々と追う記述は、それだけでおのずとサスペンスを生むことになるという好例である。

映画『張込み』（一九五八）は、野村芳太郎《のむらよしたろう》監督（『砂の器』『鬼畜』等）が初めて松本清張の原作に取り組んだ作品で、内容はおおむね原作通り、長篇劇映画用に枝葉のエピソードをふくらませてある程度である。最大の特徴は全篇ほぼロケ撮影がおこなわれていることで、昭和三十二年ごろの、地方の人々が生活する町並みなどが映画カメラによって生々しく映像に定着されているのが、いまとなっては貴重でもある。

リチャード・マシスン「激突！」（一九七一）

マシスンはSF、ホラー、ミステリーと何でも書く作家だが、しいていうなら基本はホラーの作家であろう。SFの場合も、SFの設定を借りて恐怖を書くスタイルで、のちにスティーヴン・キングなどもそういうスタイルを踏襲した。映画『激突！』（一九七一、元はTV用に製作されたものにシーンを追加して劇場用映画として公開された）はスティーヴン・スピルバーグ監督の売り出し作として有名だが、脚本は原作者マシスン自身が担当し、執拗にトラックに追い回されるというだけの展開で内容が貫かれているのも、ほぼ原作小説通りである。

当時の映画テレビ界では若いスピルバーグよりもマシスンのほうがずっと実績を知られた人物だったはずなのだが、このシンプルすぎる題材を、しかしスピルバーグでない監督だったら、見るものを退屈させずに映像演出できただろうか。『ジョーズ』『ジュラシック・パーク』という動物もののパニック恐怖映画もそうだが、シンプルな題材をストレートに展開して映像的に飽きさせないためには、場面場面にいくつもの撮影アイデアをいかしていく発想力と技術手腕が必要なはずで、スピルバーグの最もすぐれた資質はそこであろうと思う次第である。

エドガー・アラン・ポオ「悪魔に首を賭けるな」(一八四二)

ポオの短篇小説をヨーロッパの三人の映画監督が映像化したオムニバス映画『世にも怪奇な物語』(一九六七)のうち、何といっても圧巻なのはフェデリコ・フェリーニ監督が担当した第三話「悪魔の首飾り」である。五〇分ほどの内容で、短篇映画というには長めだが長篇映画と呼ぶのも微妙なところ、今回の並びではやや番外的な扱いということで最後に置いた。

原作の「悪魔に首を賭けるな」は他愛のないジョークのごとき短篇で、「教訓のある話」などという副題がつけてあるのも作者の照れや言い訳にしか思えない。ようするに、こんなことして人間の首がちょん切れたら面白かろうという、子供のような思いつきを、それだけではいくらなんでもアレだから、悪魔などを持ち出して表向き文学作品めいた形だけはつけておけ、そんな按配の一篇なのである。ある意味、ポオという作家の本質的な一面が垣間見える作品といえなくもない。

フェリーニの映像作品はうってかわって、本格的なホラーである。主人公が空港に到着する冒頭シーンや、唐突に顔色を変える女占い師、夜のローマを車のライトが照らし出していくシーンなど、あらためて目にすれば、まるでダリオ・アルジェントの映画(『サスペリア』ほか)を見ているかのようでもある。いやアルジェントのほうがこの作品にならったと考えるほうが順当だ。何やら日本の怪談映画のようなじめじめした薄気味悪さもあって、最後には悪魔の首飾りというより、悪魔の手毬唄とはこれだという見事な幕切れを見せてくれる。

暗号解読——ミステリと現実のアンソロジー

波多野健

①「黄金虫」、②「暗号論」

（創元推理文庫『ポオ小説全集４』収録、１９７４年９月）

暗号ミステリと暗号解説書や周辺書をセットにした全集を編むとなると、まず「黄金虫」は欠かせない。暗号学的にも高く評価され、「現在でも、単一換字式暗号を解読するときにはこれと同じ方法が用いられる」（キッペンハーン『暗号攻防史』）[*1]。アメリカが第一次大戦に参戦する時、急ごしらえのブラック・チェンバー（機密局）に素人の暗号要員を集めたが、適当な教材が乏しく、[*2]「黄金虫」もテキストに用いた。頻度表を根底に据え、誰でも主人公ルグランと同じ条件で解読に到ることができる、という点で入門教材たりえたのである。

ポーは一八三九年、アレクサンダーズ・ウィークリー・メッセンジャー誌[*3]で読者が投稿した暗号の大半を解読してみせたが、当時は頻度表のことは知らず、直観で解読していた[*4]とされる。ポーのこの段階の総仕上げが「暗号論」だが、依然としてフランシス・ベーコン流に「暗号ではないかと思われぬように暗号を送るほうが遙かに得策[*5]」などという空論を書いているし、頻度表にふれていない。

なぜ空論かは次の本でわかる。

③『『古今和歌集』の謎を解く』織田正吉《おだしょうきち》

（講談社選書メチエ、２０００年９月）

【物名歌《もののな》】

茎も葉も　みな緑なる　深芹は　洗ふ根のみや白く見ゆらん[*6]

この歌は隠された題が傍点部「洗ふ根のみや白」＝「あらふねのみやしろ（荒船の御社）」の九音節であり、『八雲御抄《やくもみしょう》』は藤原輔相《ふじわらのすけみ》のこの歌を「これは九字のよく隠れたる也」と評価している。たしかに「よく隠れ」てはいる。

だが、織田は「仮にこの歌が物名であることに気がつかなければ《茎も葉も緑の深芹を洗うと、どうして根だけが白く見えるのだろう》という、内容の何もない歌が勅撰集に選ばれ」たことになり、そんなことは「ありえない」から見破られると考える。

物名歌の歴史に燦然と輝く、これほど巧みに作られた暗号歌でさえ違和感を惹起して物名＝暗号歌であると気づかせるのである。これはどんな暗号文にも言えることで、文をいかに整えても発話の場にそぐわなければ疑惑が湧く。いったん疑惑が生じると、もう普通の暗号文と同じだ。ポーは「暗号論」の時にはそんなことにも気がついていなかった。

本当に暗号学的に高い水準に達したのは、頻度表の威力を小説に取り込んだ「黄金虫」なのである。「暗号論」は一八四一年、「黄金虫」は一八四三年だから、「黄金虫」の方が秀れているのは当たり前、それも長足の進歩である。ポーの「暗号論」はいわば小学校の卒業文集で、成人してからの一人前の仕事が「黄金虫」なのである。

④『暗号と推理小説』長田《ながた》順行《じゅんこう》（現代教養文庫、１９８６年５月）

⑤『暗号ミステリ傑作選』レイモンド・T・ボンド編（創元推理文庫、１９８０年２月）

⑥「踊る人形」アーサー・コナン・ドイル（光文社文庫『シャーロック・ホームズの生還』収録、２００６年10月）

「暗号論」から「黄金虫」までの二年間にポーが勉強したのはウィリアム・ブレアの「暗号」だった。この本は母音と子音を別々に順位づけし、子音については同等頻度のグループ内ではアルファベット順に表示する。この特徴によって出典が探り当てられたのである。ただ母音については、ブレアはe-o-aの順（ポーはe-a-o）としていた。長田は「母音oとaの順序が逆になっている点は、ポーの勘違いと考えるほかはない」[*7]と無批判に出典研究者に追随しているが、『暗号ミステリ傑作選』や『暗号攻防史』収載のデータのように、英語の母音aの頻度はoより上なのである。つまり、「黄金虫」の方が正しい。むしろポーが経験と直観でブレアの誤謬を訂正したと解釈すべきなのである（ポーがひとかどのアマチュア科学者を自負していたことを思い出そう）。

推理作家はといえば、ドイルはじめほぼ全員がa>oである。

ドイルの「踊る人形」は、「黄金虫」とは別の意味で暗号学的に優れた小説である。ポーが使用頻度統計に基づく演繹的推理でアプローチしたのに対して、ドイルは、人名など「仮定語」を想定できる状況を設定して、暗号文中に存在しているはずの語を推測して帰納的推理を行う。これは一見、想像力にたよった非論理的な方法に見えるかもしれないが、実際の諜報活動の場では、想像力を総動員して仮定語を想定するのは有効な手法なのである。

コンピュータの発明者で、イギリスの暗号解読の中心人物だったアラン・チューリングは、映画「エニグマ」の主人公でもあるが、仮定語を有効活用した。その手法は「暗号を解読するために、まず暗号文中のキーワード……たとえば、ある暗号文が気象情報を含むものだと推測すると―暗号文には〝霧〟や〝風速〟といった単語が含まれているだろう。もしも単語がうまく推測できれば、その暗号文はすみやかに解読され、その日のエニグマ機の設定を導き出すことができる。……空軍に頼んで、ドイツの港に機雷を敷設してもらう……敷設されれば、ドイツの港湾責任者はすぐに暗号文を発信し、それをイギリス側が傍受する。その暗号文には〝機雷〟や〝避ける〟〝地図参照〟などの単語が含まれているはずだ」[*8]。ナンデモアリで悪辣に仮定語を活用する点ではホームズどころのさわぎではない。

⑦『二銭銅貨』江戸川乱歩《えどがわらんぽ》（岩波文庫『江戸川乱歩短篇集』収録、２００８年８月）

⑧『猿丸幻視行』井沢元彦《いざわもとひこ》（講談社文庫、２００７年12月）

⑨『涙香迷宮』竹本健治《たけもとけんじ》（講談社、２０１６年３月）

日本では「二銭銅貨」の後、『謎の暗號』（森下雨村）、「皇后の影法師」

「壽命帳」（小栗虫太郎）が出たが、「わが国ではこの作品を越えるものを見ない」（長田順行）との評価はゆるがなかった。

暗号文の実物が小説中に現れて探偵役が解読するというポー＝ドイル＝乱歩的パターンは早くから崩れた。気が利いていて、なおかつ一般読者にも解読プロセスがピンと来る実例を考案するのが難しいからである。

かくして、暗号は物語を面白くする装飾となり、暗号文はもう提示されず解読場面もない暗号小説まで現れる時代になる。ボンドの選集では、「ヒヤシンス伯父さん」がその例だ。こうなるともう、クラークやキッペンハーンのドキュメンタリーを読むのと変わりない。

欧米では暗号小説自体が今では稀有な骨董品になったが、本格推理小説が再興期にある日本やインドでは今なお正統派の暗号小説を新たに書こうという猛者《もさ》がいる。日本では『猿丸幻視行』以降、間欠泉的ではあるがオーソドックスな暗号小説の新作が現れ、二〇一七年の本格ミステリ大賞も『涙香迷宮』だった。

⑩『ジャンガダ』（1881）ジュール・ベルヌ、安東次男《あんどうつぐお》訳（文遊社、2013年8月）

⑪ヘレン・マクロイ"Panic"(1944)（未訳）←その後、『牧神の影』渕上痩平《ふちがみそうへい》訳（ちくま文庫、2018年6月）**として訳出**

「暗号法の飛躍的進歩のせいでもはや小説の材料にはなりそうもない」と乱歩を嘆かせた単一換字式暗号だが、暗号小説にも少数だが『ジャンガダ』や"Panic"のように、原理的に現代の機械暗号と同じ範疇に属し、初歩的ながら、とにかく現代の軍事外交暗号と同じ側の作品がある。米軍の暗号業務の最高責任者フリードマンは、「暗号家としてのジュール・ベルヌ」という一文を軍の通信隊機関誌に書いた（これに掲載したせいで軍事機密扱いになってしまった）。その上を行くのがマクロイの"Panic"で、どうも暗号学的にはこれが世界最高水準の暗号小説のようだ。乱歩が「暗号そのものは機械的で機知がなく、少しも面白くない」[*9]と評したが、邦訳を期待したい（その後、上記のとおり訳出された）。

しかし、軍事外交暗号の解読は読物として面白く次の三つを読み比べるとスリリングな推理体験ができる。

⑫『暗号の天才』ロナルド・W・クラーク、新庄哲夫《しんじょうてつお》訳（新潮選書、1981年1月）

⑬『暗号攻防史』ルドルフ・キッペンハーン、赤根洋子《あかねようこ》訳（文春文庫、2001年1月）

⑭『暗号を盗んだ男たち』檜山良昭《ひやまよしあき》（光人社NF文庫、1994年1月）

英米の暗号解読のルポルタージュには、意図的な流布・統制の形跡がある。たとえば、スウェーデンの発明家で暗号機メーカー社主のボリス・ハーゲリンは四〇年にクリプトテクニックの設計図を持ってアメリカへ渡り、米軍に採用された。スウェーデンに残してきた五十台はすべてアメリカに送られたとクラークは書く。ところが、日本の参謀本部が四二年春にクリプトテクニックを三台買い込んだ事実がある。[*10]ハーゲリンが枢軸側にも暗号機を売ったという「不都合な真実」は欧米側ドキュメンタリーでは隠蔽されている。

フリードマンはクリプトテクニック機の本格採用に難色を示したが、米軍は結局フリードマンが具申した改良を加えて採用し、M-209暗号機として、四二年から終戦までに十四万台生産[*11]して主力機とした。

フリードマンがどんな改良を具申したかは、日本側の解読を描く『暗号を盗んだ男たち』[*12]からわかる。クリプトテクニックの六本あるバーのうち三本目と四本目に反対に突き出た第二のピンを付け加えたのだ。これで暗号の強度が格段に高まった。解読のきっかけは、やはり暗号電報の打ち間違いだった。間違った暗号電文と訂正電文が傍受され、暗号機の構造原理からクリプトテクニックだと判明した。[*13]

これは正攻法の暗号解読だが、それがすべてなのであろうか？

英・仏・ポーランドは開戦前から共同でエニグマを研究し、模造機の製作など正攻法の大半はポーランドの貢献なのだが、英国はそれを黙殺している。[*14]これをキッペンハーンは不誠実とするが、『暗号の天才』を照合すると、この箇所には謎のような一連の文がある。「しかしこの工作は、何とかエニグマの実物を入手したいというイギリス側の意欲をますますかきたててしまった」「当然これにはドイツ国内反ナチ抵抗組織の活動もからんでいるが、まだその経緯を明らかにする時期ではない」「とにかく同年（＝一九三九）九月には、イギリスがエニグマ暗号機の実物を手に入れていたことは確かである」[*15]

クラークが暗示しているのは、わりあい早い段階でドイツ側の誰かがイギリスにエニグマの実機を横流ししたということだ。それなら、イギリスがポーランドに恩義を感じないのももっともだ。キッペンハーンの方は「四〇年春……ノルウェー沖で撃墜されたドイツの飛行機からエニグマが発見され、鍵表とともにイギリスに送られた」という当局の公式見解に追随する。だが、これでは四〇年夏の英本土上陸《ゼーレーヴェ》作戦を頓挫させるにはギリギリだ、おそらくは間に合わない。実機を入手して初めて取り組める問題があるのだから、クラークが言う、一九三九年九月以前というのが自然だろう。入手したエニグマ実機を使って数学的な応用問題を解決したのは、チューリングとディリー・ノックス（あのロナルド・ノックスの弟）だった。[*16]

さて暗号を一〇〇％解読できてみると、毎回あまりにも的確に対策を打ち過ぎると、通信が解読されていることを敵に悟られてしまう。時々は味方を見捨てる決断が必要になる。ゼーレーヴェ作戦をエニグマ解読で頓挫させる成功体験をしたチャーチルは、判明しているだけでも、二度これをやっている（公式には頑強に否定）。一つは四〇年十一月のコベントリー空襲、もう一つは四三年六月のレスリー・ハワード搭乗機撃墜[*17]である。

こうなるともう、真珠湾についての「風の便り」電報疑惑（アメリカが日本軍の奇襲を事前に暗号解読で知っていたという説）も答は明らかであろう。アメリカの公式報告書では「一連の不幸な出来事（と呼んだ）偶然性」[*18]が原因とし、公式報告書作成過程で辻褄合わせがあったと推察されるが、もしそうなら辻褄合わせから漏れた話の方に真相があろう。つまり、海軍省のサフォード大佐が言うとおり「正真正銘の〝風の便り〟暗号が存在し、それが傍受、解読、配布されたうえ行方不明になった」、陸軍省通信情報局長サドトラー大佐が言うとおり「警報草案を作成した」が、「運悪くこの草稿は行方知れずになった」[*19]。ちょっと日本の参謀本部内で、小野寺大佐のヤルタ特電（ソ連が八月に参戦することがヤルタ会談で決まったという極秘情報）が回覧された後、行方不明になったのを連想させる話である。

フリードマン夫人も、夫が真珠湾のラジオニュースを聞いて「だって連中には分っていたじゃないか、ちゃんと分っていたじゃないか」と繰り返し呟いたと回想している。

対応する証拠が日本側にあったとしても、軍部が降伏直後に暗号関係の書類一切を焼却したので、四六年の米議会の査問公聴会には何も出るはずがなかった。

アメリカは暗号解読の技術水準自体が機密だと考えていた。ドイツや日本が解読した英米暗号も、ソ連に漏れて西側の手の内が知られぬよう管制を敷いた。

ドイツには暗号研究家ウィルヘルム・F・フリッシュが一九一九年から四五年にわたる暗号解読の詳細について記録した「エーテル作戦の秘密」なる原稿があったが、米軍は半ば強制的に買い取って公開を阻んだ[*20]。また二十万台製作されたエニグマを組織的に破壊した（米軍の目を逃れて現在まで残ったのは数台のみであり、骨董品として高値で売買される）。

日本でも米軍の動きは迅速だった。参謀本部第二部（情報担当）長の有末精三《ありすえせいぞう》中将がGHQに出頭を求められたのは昭和20年9月5日のことだったが、その時、米側は、日本の陸軍特殊情報部が暗号解読の拠点に使った高井戸の養老院の焼却灰の中から発見した裁断文書の燃え残りを有末に突きつけて、日本軍がマニラで押収して暗号解読に流用したIBM統計機二台の行方を追及したのである。

マッカーサー元帥が厚木に降り立ったのが8月30日だから、数日の間にこれだけのことがなされていた――戦時中から日本側の活動を逐一把握していなければ不可能なスピードだ。有末は舌を巻いた。

翌年2月に米軍のアースキン中佐は中野良次《なかのりょうじ》少将と釜賀一夫《かまがかずお》の二人に「われわれは日本陸軍の前線部隊の暗号をいくつか解き、戦争末期に気象用暗号を全面解読した。しかし、どうやっても、日本陸軍の主要な暗号は解けなかった。日本陸軍の主要暗号は難攻不落だった」[21]と語った由だが、何で中佐が手の内をばらしたのか？　米軍の大方針に反する。

そうなると意図的リーク・情報操作と考えるしかない。真相は、檜山が〈良かった。俺たちの暗号は、本当に解読されていなかったのだなあ〉〈釜賀には戦時中のさまざまな苦労がいっぺんに吹きとんだ…足取りもつい軽くなった〉[22]と結んだような甘いものではなさそうである。

思い起こさせるのは、終戦直前の昭和20年4月29日、新しい暗号書を欧州駐在武官に届けるクーリエ金子正雄《かねこまさお》がシベリア鉄道の車上で毒殺された事件[23]である。檜山は、その理由を「スターリンが対日参戦を決めていたから」で済ませるが、特定の日本軍人を公然と暗殺するとなれば、それだけのやむにやまれぬ理由があったはずである。金子が運んでいた公嚢の封印はそのままだったが、中味を撮影された公算があり、当然のことながら新しい暗号書は破棄された。[24]どうしても、武官暗号がこのギリギリのタイミングで変更されては困る事情がソ連側にあったと考えねばならない。つまり、当時陸軍暗号はソ連に解読されていたと考えるしかない。

符合する記述がアメリカ側、マーシャル参謀総長からデューイ宛書翰（四四末）にもある。「……ウィリアム・ドノヴァンの部員たち（戦略秘密情報局）が、われわれに無断で、ポルトガルの日本大使館の秘密調査を行ないました。その結果、世界中の日本大使館付き武官の用いる暗号が変更されてしまったのです。これは一年以上前に起きたことですが、われわれはいまだに新しい暗号を解読できず、計り知れぬ貴重な情報源、とくにヨーロッパ情勢についてのものを失っている有様です」[25]。つまり、それ以前の欧州駐在武官の暗号はアメリカにも解読されていたということだ。クラークの本も原題は「The Man Who Broke Purple（紫暗号を破った男）」なのに、フリードマンがどうやって日本暗号を解読したかという肝心のプロセスは何も書かれていない。遅々として進まなかった解読作業が、一九四〇年八月に突然進んで、一挙に「日本製暗号機の模造機を現物のモデルなしに製作できるようになっていた」[26]とだけ述べられる。本当に、解読努力だけで現物のモデルなしに製作できたのだろうか？――わざわざ傍点部「現物のモデルなしに」という表現を付け加えなくても文意は通じるのに、なぜかこの一文がある。ドイツと同じく、日本でも誰か暗号機密を横流しした者がいたのではないか――それなら、アースキン中佐の意図的（としか思えない）リークもうなずけるが……。

---

*1　『暗号攻防史』ルドルフ・キッペンハーン、赤根洋子訳、文春文庫２００１年1月、P.126-127

*2　『暗号の天才』R・W・クラーク、新庄哲夫訳、新潮選書、１９８１年1月（原書刊行は１９７７年）、P.63

*3　Clarence S. Brigham 'Edgar Allan Poe's Contribution to Alexander's Weekly Messenger',

Edgar Allan Poe Society of Baltimoore, 1943

*4 『暗号攻防史』P.127

*5 「暗号論」『ポウ小説全集４』収録、
創元推理文庫、１９７４年9月、P.394

*6 『『古今和歌集』の謎を解く』織田正吉、
新潮社、２０００年9月、P.99-100

*7 『暗号と推理小説』長田順行、
現代教養文庫、１９８６年5月、P.85

*8 『フェルマーの最終定理』サイモン・シン、青木薫訳、
新潮社、２０００年1月、P.195-199

*9 江戸川乱歩「探偵作家としてのエドガー・ポオ」
『ポウ小説全集４』収録、
創元推理文庫、１９７４年9月、P.431

*10 『暗号を盗んだ男たち』檜山良昭、
光人社ＮＦ文庫１９９４年1月、P.262

*11 『暗号の天才』P.151-152

*12 『暗号を盗んだ男たち』P.267-270

*13 『暗号を盗んだ男たち』P.261-265

*14 『暗号攻防史』P.296

*15 『暗号の天才』P.154-155

*16 『暗号の天才』P.155

*17 『暗号の天才』P.198-199

*18 『暗号の天才』P.171

*19 『暗号の天才』P.178-183

*20 『暗号の天才』P.215

*21 『暗号を盗んだ男たち』P.299

*22 『暗号を盗んだ男たち』P.299

*23 『暗号を盗んだ男たち』P.232-233

*24 『暗号を盗んだ男たち』P.232-233

*25 『暗号ミステリ傑作選』レイモンド・T・ボンド編、
創元推理文庫、１９８０年2月 P.19

*26 『暗号の天才』P.146

昭和五十年代アンソロジー（国内編）傑作選

廣澤吉泰

年代を区切って論じる際には、元号よりも西暦を用いる方が多いようだが、国内物のアンソロジーを語る場合には「昭和」「平成」といった元号での切り口がしっくりくる。ことに昭和五十年代は、渡辺剣次《わたなべけんじ》編『13の密室』（講談社）と鮎川哲也《あゆかわてつや》による光文社カッパ・ノベルスの《鉄道ミステリー傑作選》の刊行開始が昭和五十年で、これも特徴的な選集である文春文庫の『「オール讀物」推理小説新人賞傑作選』の上梓《じょうし》が昭和五十九年と非常に区切りが良いのだ。また、昭和五十年代を取り上げたのは区切りの良さだけでなく、この時期はアンソロジーがブームとなり、様々な版元がミステリー選集に参入するという、他の年代にはない現象が発生したためでもある。

ここで行うのは、当該期間に刊行されたアンソロジーを再構成し、選集を編纂《へんさん》する試みである。横溝正史《よこみぞせいし》は随筆集『真説　金田一耕助』で自分の作品を「丹念に蒐集し、保存している」中島河太郎《なかじまかわたろう》らの研究家を敬愛の念を込めて「屁をかぞえる人びと」と称したが、筆者の行為は「屁をかぞえる人びと」がまとめた「屁」をさらにかぞえて、あれこれ評するというものである。

再構成する際の切り口に関しては、編者別（例：中島河太郎編、鮎川哲也編等）とするかテーマ別（例：密室編、アリバイ編等）とすべきか等と頭を悩ませたが、最終的には出版社別とすることが昭和五十年代の選集出版の実相を伝えるうえでも最適だと判断した。

昭和五十年代の選集刊行状況を把握するには野村宏平《のむらこうへい》編『ミステリ　アンソロジー　インデックス　一九四六－一九九二』（私家版・限定二百部）に依拠《いきょ》した。本企画は同書あってのものである。

なお、期間内の選集ではあるが、日本推理作家協会（以下「協会」）編の『推理小説代表作選集』（講談社、いわゆる「年鑑」）と同じく協会が三年ごとに編む光文社（カッパ・ノベルス等）の選集（『最新ベストミステリー』等）は、いずれも昭和五十年以前から継続しているものであるため対象外とした。「年鑑」、光文社の協会編選集については、別の機会に論じたいと考えている。そのことや今回選んだ作品に関して異論も出るだろうが、そうした議論はむしろ歓迎だ。さらに言えば筆者自身の評価が変わる可能性もある。

複数冊の選集を一冊に再構成するにあたり、作品数は十三編とした。『13の密室』など、ミステリーにおいて「十三」は意味のある数字と考えるからだ。なお、叢書全体は一ダース（全十二巻）とした。

さて、そのラインナップは次のとおり。

第一巻・講談社編
第二、三巻・光文社編
第四、五巻・角川書店編
第六、七巻・双葉社編
第八、九巻・徳間書店編

第十巻・カイガイ出版部編
第十一巻・集英社編
第十二巻・文藝春秋編

順番は取り上げる選集の刊行年が早い順である。光文社など二巻にわたる出版社があるが、これは当該期間に出版した選集の冊数に応じての配分である。

第十巻にあまり馴染《なじ》みのない出版社が顔を出しているが、このように幅広い版元がミステリーの選集に参入したのが、昭和五十年代の特徴なのである。

それでは各巻の収録作を紹介していこう。なお、作品選定に際しては、可能な限り国内ミステリーの祖である江戸川乱歩《えどがわらんぽ》の作品を採ることとした。こうしたビッグネームは選集を手に取ってもらうという商業上の要請で必要と考えたからだ。

第一巻・講談社編

渡辺剣次編『13の密室』『13の暗号』『13の凶器』『続・13の密室』というテーマ別の選集と鮎川哲也編『密室探求』『密室探求　第二集』から選んだ。なお、作品の配列は原則として作者名の五十音順としている。

二粒の真珠・飛鳥高《あすかたかし》／明日のための犯罪・天城一《あまぎはじめ》／赤い密室・鮎川哲也／点眼器殺人事件・海野十三《うんのじゅうざ》／二銭銅貨・江戸川乱歩／紙魚の罠・幾瀬勝彬《いくせかつあき》／闖入者・大阪圭吉《おおさかけいきち》／涅槃雪・大坪砂男《おおつぼすなお》／完全犯罪・加田伶太郎《かだれいたろう》／妖女の足音・楠田匡介《くすだきょうすけ》／密室の裏切り・佐野洋《さのよう》／草原の果て・豊田寿秋《とよだとしあき》／凶器・松本清張《まつもとせいちょう》

◆十三編の枠を密室七編、暗号三編、凶器三編とした。「紙魚の罠」は「二銭銅貨」のオマージュ作なので後に配した。渡辺剣次はNHK勤務との二足の草鞋《わらじ》を履いた研究者。NHKを退職し、さあこれからというところでの病没は惜《お》しまれる。

第二巻・光文社編Ⅰ（鉄道ミステリー編）

鮎川哲也編による鉄道ミステリー傑作選『下り〝はつかり〟』『急行出雲』『見えない機関車』から選んだ。

飛行する死人・青池研吉《あおいけけんきち》／西郷隆盛・芥川龍之介《あくたがわりゅうのすけ》／急行《さんべ》・天城一／急行出雲・鮎川哲也／急行列車の花嫁・海野十三／押絵と旅する男・江戸川乱歩／とむらい機関車・大阪圭吉／汽車を招く少女・丘美丈二郎《おかみじょうじろう》／子供のいる駅・黒井千次《くろいせんじ》／グリーン車の子供・戸板康二《といたやすじ》／特急夕月・夏樹静子《なつきしずこ》／汽笛が響く・南部樹未子《なんぶきみこ》／浜名湖東方15キロの地点・森村誠一《もりむらせいいち》

◆『下り〝はつかり〟』の時点で鮎川は日本の鉄道ミステリー短編は「戦前戦後をつうじて五十編あるかないかの寥々たるものでしかない」という認識であったため純文学やSF等幅広く作品を渉猟《しょうりょう》した。その結果、バラエティに富んだ顔ぶれとなったのだが、それが商業的な成功につながったのだろう。

そして、本選集が売れたことで、昭和五十年代前半のブームが惹起されたのである。また、青池研吉のようなレアな作家が登場するが、こうした経歴不詳の作家の探索活動が『幻の探偵作家を求めて』につながっていくのである。

第三巻・光文社編II（日本傑作推理12選《ジャパニーズ・ゴールデン・ダズン》編）

エラリー・クイーン（フレデリック・ダネイ）編の『日本傑作推理12選』第一～三集及び『日本文芸推理12選&ONE』から選んだ。噂を集めすぎた男・石沢英太郎《いしざわえいたろう》／人間椅子・江戸川乱歩／商腹勘兵衛・栗本薫《くりもとかおる》／被告は無罪・小泉喜美子《こいずみきみこ》／酒乱・笹沢左保《ささざわさほ》／長く暗い冬・曾野綾子《そのあやこ》／落ちる・多岐川恭《たきがわきょう》／途上・谷崎潤一《たにざきじゅんいち》郎《ろう》／小梅富士・都筑道夫《つづきみちお》／滑走路灯・夏樹静子／柴田巡査の奇妙なアルバイト・西村京太郎《にしむらきょうたろう》／魔少年・森村誠一／殺意のまつり・山村美紗《やまむらみさ》

◆「厳選された日本作品が欧米の檜舞台に進出する嚆矢」として発起された企画。一九七〇年以降に発表された二千五百余編の中から東京のEQJM委員会が候補作を選び、それが英訳されて米国のダネイに送付され、その中から「欧米の最高水準に伍して遜色ないと評価」された短編が十二編に達した時点で第一集を編纂──という丹念な選考過程を経て編まれた選集。ネットのない時代、日米間でのやり取りには、現代の我々からは想像もつかない労力が費やされたことだろう。

第四巻・角川書店編I（『日本代表ミステリー選集』編）

中島河太郎・権田萬治《ごんだまんじ》編『日本代表ミステリー選集』（全十二巻）から選んだ。収録作品は、次の通りとなる。三十六人の乗客・有馬頼義《ありまよりちか》／防空壕・江戸川乱歩／天狗・大坪砂男／蔵を開く・香住春吾《かすみしゅんご》／散歩する霊柩車・樹下太郎《きのしたたろう》／淋しい草原に・高城高《こうじょうこう》／妖婦の宿・高木彬光《たかぎあきみつ》／方壺園・陳舜臣《ちんしゅんしん》／吉備津の釜・日影丈吉《ひかげじょうきち》／おーい でてこーい・星新一《ほししんいち》／赤い靴・山《やま》田風太郎《だふうたろう》／獅子・山村正夫《やまむらまさお》／文珠の罠・鷲尾三郎《わしおさぶろう》

◆『日本代表ミステリー選集』は、戦後発表された推理小説から百二十編を選び全十二巻に編集したもの。本格、社会派、サスペンス、幻想、ハードボイルド、SFという幅広い分野から作品を選んでいる。なお、角川文庫では続編として、昭和六十四年から平成元年にかけて、中島・権田編による『現代ミステリー傑作選』二巻を刊行した。こちらは昭和五十一年から六十年の十年間の短編が対象である。

第五巻・角川書店編II（新青年・宝石傑作選編）

中島河太郎編『新青年傑作選集』（全五巻）、『「宝石」傑作選集』（全五巻）から選んだ。収録作品は、次の通りとなる。赤道づれ・芦川澄子《あしかわすみこ》／振動魔・海野十三／陰獣・江戸川乱歩／赤いペンキを買った女・葛山二郎《くずやまじろう》／ラ・クカラチャ・高城高／家常茶飯・佐藤春夫《さとうはるお》／風の便り・竹村直伸《たけむらなおのぶ》／誰かが──父を・南條《なんじょう》

範夫《のりお》／おたね・仁木悦子《にきえつこ》／進化論の問題・新羽精之《にわせいし》／監獄部屋・羽志主水《はしもんど》／睡蓮夫人・氷川瓏《ひかわろう》／精神分析・水上呂理《みなかみろり》

◆「新青年」傑作選は立風書房版が「宝石」の選集は、いんなあとりっぷ版があったが、いずれも単行本だったため廉価な文庫版での出版はありがたかった。こうした雑誌ごとの選集を文庫で出す試みはミステリー文学資料館編の〈幻の探偵雑誌シリーズ〉〈甦る推理雑誌シリーズ〉（いずれも光文社文庫）でより徹底されるが、その種はこの時期に蒔《ま》かれていたのだ。

第六巻・双葉社編Ⅰ（怪奇探偵小説編）

鮎川哲也編『怪奇探偵小説集』『怪奇探偵小説集［続］』『怪奇探偵小説集［続々］』から選んだ。収録作品は、次の通りとなる。なお、本巻では乱歩・正史の同題の短編を冒頭に並べる変則な配列とした。それは鮎川が［続々］で行った試みに倣ったものである。

双生児・江戸川乱歩／双生児・横溝正史／天人飛ぶ・朝山蜻一《あさやませいいち》／喉・井上幻《いのうえげん》／幽霊妻・大阪圭吉／壁の中の女・狩久《かりきゅう》／くすり指・今日泊亜蘭《きょうどまりあらん》／怪奇製造人・城昌幸《じょうまさゆき》／骸骨・西尾正《にしおただし》／悪魔の舌・村山槐多《むらやまかいた》／抱茗荷の説・山本禾太郎《やまもとのぎたろう》／魔像・蘭郁二郎《らんいくじろう》／父を失う話・渡辺温《わたなべおん》

◆双葉社の選集は、本書に代表される「怪奇」「恐怖」「怪談」というホラー系（これは当時のオカルトブームを受けた企画だと筆者は推測している）と次に紹介する本格系のシリーズに二分される。鮎川は「幻の作家による幻の作品」をメインに選集を編纂。商業的な面での影響が懸念されたが、幸いにも読者には好評をもって迎えられた。

第七巻・双葉社編Ⅱ（本格ミステリー編）

鮎川哲也編『殺意のトリック』『殺人設計図』『紅鱒館の惨劇』及び中島河太郎編『本格推理傑作集』から選んだ。収録作品は、次の通りとなる。

木箱・愛川純太郎《あいかわじゅんたろう》／孤独・飛鳥高／早春に死す・鮎川哲也／寒の夜晴れ・大阪圭吉／四桂・岡沢孝雄《おかざわたかお》／紅鱒館の惨劇・岡村雄輔《おかむらゆうすけ》／懸賞小説・佐野洋／ユダの窓はどれだ・千葉淳平《ちばじゅんぺい》／幽霊と月夜・仁木悦子／新納の棺・宮原龍男《みやはらたつお》／銀知恵の輪・山沢晴雄《やまざわはるお》／白魔・鷲尾三郎／非常階段・渡辺剣次

◆『本格推理傑作集』の「編者のことば」で中島は本格物について「その至難な手法のため、近年は筆を執る作家がいちじるしく減ってきた」と総括している。昭和五十年代前半の本格物の厳しい状況が窺われる。また、本巻では渡辺剣次の珍しい創作も採った。

第八巻・徳間書店編Ⅰ（戦前編）

中島河太郎編『日本探偵小説ベスト集成・戦前篇』及び鮎川哲也

編『鉄道推理ベスト集成』第一～四集から戦前の作品を選んだ。収録作品は、次の通りとなる。

俘囚・海野十三／鬼・江戸川乱歩／気狂い機関車・大阪圭吉／就眠儀式・木々高太郎《きぎたかたろう》／股から覗く・葛山二郎／状況証拠・甲賀三郎《こうがさぶろう》／煙突奇談・地味井平造《じみいへいぞう》／蛇男・角田喜久雄《つのだきくお》／殺された天一坊・浜尾四郎《はまおしろう》／海豹島・久生十蘭《ひさおじゅうらん》／殺人リレー・夢野久《ゆめのきゅう》作《さく》／面影双紙・横溝正史／嘘・渡辺温

第九巻・徳間書店編II（戦後編）

中島河太郎編『日本探偵小説ベスト集成・戦後篇』『死の懸垂下降《アップザイレン》　山岳推理ベスト集成』『血塗られた海域　海洋推理ベスト集成』及び鮎川哲也編『鉄道推理ベスト集成』第一～四集から戦後の作品を選んだ。収録作品は、次の通りとなる。

黒潮殺人事件・蒼井雄《あおいゆう》／碑文谷事件・鮎川哲也／雨男・雪女・大坪砂男／噴火口上の殺人・岡田鯱彦《おかだしゃちひこ》／アルプスに死す・加藤《かとう》薫《かおる》／恐風・島田一男《しまだかずお》／天国は近きにあり・高橋泰邦《たかはしやすくに》／偽りの群像・中町信《なかまちしん》／まさゆめ・野呂邦暢《のろくにのぶ》／復讐墓参・安永一郎《やすながいちろう》／死者の呼び声・山田風太郎／毛骨屋親分（寝ぼけ署長第七話）・山本周五郎《やまもとしゅうごろう》／悪魔の函・鷲尾三郎

◆トクマ・ノベルスからは光文社版に収録しきれなかった鉄道物を集めた鮎川の選集と中島の手になるテーマ別の選集等が刊行された。それを戦前編、戦後編という形で再構成した。

第十巻・カイガイ出版部編

山村正夫編〈ミステリー入門〉シリーズ（全五巻）から選んだ。収録作品は、次の通りとなる。

チャイナタウン・ブルース・生島治郎《いくしまじろう》／クレイ少佐の死・大河内常平《おおこうちつねひら》／凧・大下宇陀児《おおしたうだる》／女蛭・黒岩重吾《くろいわじゅうご》／狂熱のデュエット・河野典正《こうのてんせい》／社会部長・島田一男／六本木心中・笹沢左保／銅婚式・佐野洋／車引殺人事件・戸板康二／死体置場は空の下・結城昌治《ゆうきしょうじ》／瓶詰の地獄・夢野久作／偽眼のマドンナ・渡辺啓助《わたなべけいすけ》／【評論】トリックの話・江戸川乱歩

◆本シリーズの前書きで山村正夫は「昨今の、空前のアンソロジー・ブーム」と記しているが、ブームは幅広い版元の参入を呼んだ。ＫＫベストブックは山村正夫編『死体消滅　戦慄ミステリー傑作選』や日影丈吉が編者を務める『処刑者消失法廷ミステリー傑作選』というユニークなテーマ別選集を編み、ＫＫワールドフォトプレスは、大藪春彦が選者になったカーアクション傑作集を二冊、中島河太郎編の航空ミステリー傑作集を三冊刊行した。後者の第一弾『恐怖の大空』には酒井嘉七「呪われた航空路」、米田三星「落下傘嬢殺害事件」といったレアな作品が収録されていた。この両社もカイガイ出版部と同数（五冊）の選集を当該期間内に上梓しているが、そうした中で本シリーズを選んだのは、ミステリーに興味を持つ読者に対して「ガイドブックの役目を果すようなアンソロジー」を目指したという編集方針に共感したのと、各巻に一編ミステリー入門的な評論を加える、という野心的な試みを高く評価したためである。

第十一巻・集英社編

日本ペンクラブ編の選集『最大の殺人』（佐野洋選）、『過去のある女』（結城昌治選）、『名探偵が八人』（都筑道夫選）から選んだ。

収録作品は、次の通りとなる。

マルゴォの杯・赤江瀑《あかえばく》／冥府への使者・五木寛之《いつきひろゆき》／D坂の殺人事件・江戸川乱歩／ネコかぶりのネコ・海渡英祐《かいとえいすけ》／折鶴の毒・佐野洋／原子病患者・高木彬光／二夜の女・多岐川恭／絆・土屋隆夫《つちやたかお》／銀座の児雷也・都筑道夫／山のふところに・仁木悦子／汚れた天使・三好徹《みよしとおる》／黒衣の聖母・山田風太郎／百日紅の下にて・横溝正史

◆日本ペンクラブは、昭和五十四年三月「現代日本文学を代表する作品のシリーズ」として〈日本名作シリーズ〉の企画を立ち上げた。『私小説名作選』（中村光夫《なかむらみつお》選）や『経済小説名作選』（城山三郎《しろやまさぶろう》選）などに交じって『最大の殺人』等の推理小説の選集が顔を出している。冊数としては三冊と少ないが「日本文学」において推理小説が一定の地位を占めたことを示した意義を評価し、本シリーズに一巻を割くこととした。

第十二巻・文藝春秋編

『「オール讀物」推理小説新人賞傑作選Ⅰ・殺意の断層』『同Ⅱ・疑惑の構図』から選んだ。収録作品は、次の通りとなる。

幽霊列車・赤川次郎《あかがわじろう》／アルハンブラの思い出・石井竜生《いしいたつお》・井原《いはら》まなみ／屠殺者よグラナダに死ね・逢坂剛《おうさかごう》／四万二千メートルの果てには・岡田義之《おかだよしゆき》／原島弁護士の処置・小杉健治《こすぎけんじ》／死は誰のもの・新谷識《しんたにしき》／あるスカウトの死・高原弘吉《たかはらこうきち》／「黒い森《シュヴァルツ・ヴァルド》」の宿・高柳芳夫《たかやなぎよしお》／歪んだ朝・西村京太郎／金魚を飼う女・弘田《ひろた》静憲《しずのり》／歪んだ駒跡・本岡類《もとおかるい》／いつも夜・康伸吉《やすしんきち》／仲介者の意志・横田《よこた》あゆ子《こ》

◆新人賞作品の選集は、現代では双葉文庫の『小説推理新人賞受賞作アンソロジー』や創元推理文庫の『ミステリーズ！新人賞受賞作品集』といったところがあるが、本選集はその先駆といえるものである。一巻を割いて、全二冊（十九作）から十三作を選ぶ、というのは強引に思われるかもしれないが、赤川次郎、逢坂剛、西村京太郎をはじめ、後にプロ作家として活躍した顔ぶれが多いことを考えれば、決して無茶な選択ではないと判断した。なお、本シリーズの続編として『「オール讀物」推理小説新人賞傑作選Ⅲ・逆転の瞬間』『同Ⅳ・甘美なる復讐』が平成十年に文春文庫から刊行されている。

これらのリストはマニアには物足らず、新しい読者には無味乾燥な文字の羅列に見えようが、できれば後者の方々が興味を持って選集に手を伸ばして頂ければ幸いである。

春を売る本格ミステリたち

羽住典子

二〇一八年、是枝裕和《これえだひろかず》監督『万引き家族』がフランスでパルム・ドール賞を受賞し、大絶賛された。しかしながら、日本では封切り前から「犯罪を肯定している／助長している」「だから、つまらない／観る価値がない」といった意見が、ネットニュースのコメント欄などで散見していた。映画はそんな感想を抱く内容ではなかったので、批判はタイトルや予告だけで判断した思い込みだと分かる。そういった声が飛んでくることを予見していたかのように、個人の倫理観を絶対的な正義として振りかざす人物を、作中では悪役として描いていた。

軽犯罪で騒がれるなら、殺人などの重犯罪を扱うミステリ作品はどうだろうか。世間一般では不謹慎だといわれている事柄でも、時には謎解きの遊戯に含まれることはあり、それが暗黙の了解にもなっている。なので、先入観で作品を批判されることはあまりないように感じられるが、時折例外が生じている。

ミステリ作家の藤岡真は自身のツイッター発言が炎上し、当時刊行されたばかりの『死龍《スロン》』がAmazonのレビューで「この本を読んでいません。（中略）でも読む前から酷い作品であろうことは容易に想像がつきます」などの酷評を浴びた。白井智之『少女を殺す100の方法』は帯に書かれた「14歳は殺したいほど可愛い。」というキャッチコピーに対し、賛否両論の声がツイッター上であがった。今は読むことはできないが、数ヶ月前まで十四歳だった（正確には不明）少女の「私達は商品でも消費されるものでもない。本屋の誰でも見られる位置に置かないでほしい」という叫びが記憶に新しい。前者は作者と作品、後者は架空の物語と現実の社会問題を一緒くたにしているのは明らかだ。

幸い両作とも回収や出版停止にまでは至らなかったが、個人の不快感が集団の固まりとなり、内容に触れていないのに倫理観を武器に作品を攻撃する現象は、今後も予測できる。こういった声を意識するあまりに、作品の幅まで狭まってゆくに違いない。

先手を打つわけではないが、本稿は概要を知っただけで「不謹慎だ」と眉をひそめる人がいそうな題材を選んだ。いわゆる「春を売る人物」が探偵役になっている、あるいは「春を売る場所」を舞台としたミステリ作品である。順番は長編と連作短編集を一緒にして作中舞台の時系列に並べ、最後に短編集を持ってきた。異例で解説者を指名しているが、理由は各作品を紹介した後に述べる。

『吉原手引草《よしわらてびきぐさ》』松井今朝子《まついけさこ》（二〇〇七年）
『花園の迷宮』山崎洋子《やまざきようこ》（一九八六年）
『幽女《ゆうじょ》の如き怨むもの』三津田信三《みつだしんぞう》（二〇一二年）
『ぼくの好色天使たち』梶龍雄《かじたつお》（一九七九年）
『踊り子殺人事件』嵯峨島昭《さがしまあきら》（一九七二年）
『女は帯も謎もとく』小泉喜美子《こいずみきみこ》（一九八二年）

『トルコ嬢シルビアの華麗な推理』都筑道夫《つづきみちお》（一九八四年）
『ソープ探偵くるみ事件簿』東直己《あずまなおみ》（一九九七年）
『虹の歯ブラシ　上木《かみき》らいち発散』早坂吝《はやさかやぶさか》（二〇一五年）
『吉原遊廓２０３９年の殺人』水野泰治《みずのたいじ》（一九八九年）
中短編「桔梗《ききょう》の宿」連城三紀彦《れんじょうみきひこ》（一九七九年、「幻影城」掲載）／「トリック芸者いなか・の・じけん篇」竹本健治《たけもとけんじ》（二〇一七年）／「不思議の国のアリンス」山口雅也《やまぐちまさや》（一九九四年）
解説　倉阪鬼一郎《くらさかきいちろう》

『吉原手引草』

新吉原遊廓で十年に一度の逸材といわれている花魁《おいらん》・葛城《かつらぎ》が、見受けが決まったにもかかわらず失踪した。彼女の行方を探す謎の人物が現れ、遊郭へ客を案内する引手茶屋の内儀、所属する舞鶴屋の従業員たち、水揚げをした者、客、幇間《ほうかん》、芸者などから証言を集めて、手がかりを導き出していく。話し手の語りのみで構成された作品で、章が進むにつれて葛城の人物像や遊郭の現状が浮かび上がってくる。消えた花魁の謎もさることながら、追う側の正体や目的にも興味をそそられる。生の声と錯覚させるほどの巧みな筆致で、本書は第一三七回直木賞を受賞した。

『花園の迷宮』

昭和七年、横浜真金町《まがねちょう》遊廓で起きた連続殺人事件を、下働きとして働く少女・ふみが追いかける。遊廓で働く女性たちの生々しさときらびやかさを色彩豊かに描いた第三十二回江戸川乱歩賞作。一緒に売られて遊女になった幼馴染《おさななじみ》が殺され、敵《かたき》を打つために立ち上がったふみの強さは、平成の世に生きる少女のようである。彼女自身は男性相手に身体を売っていないせいか、悲惨さはほとんどなく、特殊な閉鎖空間で起きた不可能犯罪とその謎解きの楽しさを存分に味わえ、解決後は爽快感とわずかな甘酸っぱさを残す。映画とドラマで映像化されたが、ドラマ版のほうが原作に忠実である。

『幽女の如《ごと》き怨《うら》むもの』

怪奇幻想作家が日本各地を民族採訪して事件に巻き込まれていく、刀城言耶《とうじょうげんや》シリーズの第八作（長編では第六作）。戦前は金瓶梅楼《きんぺいばいろう》、戦中は梅遊記楼《ばいゆうきろう》、戦後は梅園楼《ばいえんろう》と、三つの時代に三軒の遊廓で起きた怪異現象と三件ずつの身投げ事件の謎を、昭和三十年代後半に刀城が解き明かす。第一部は遊廓に売られてきた少女が花魁・初代緋桜《ひざくら》になるまでの日記、第二部は二代目緋桜に関する女将の一人語り、第三部は幽女と三代目緋桜について取材した怪奇作家の記録と、三つの形式を用いて遊廓の移り変わりも表していく。一度入ったら普通の暮らしができなくなるという遊廓の存在そのものも、恐怖心をあおり立てる。

『ぼくの好色天使たち』

終戦から一年後、池袋にある闇市バラック街で、在日米軍将校を相手にするパンパンと呼ばれる街娼だった女性が殺害された。華族の子弟・弘道《ひろみち》は買い物中に、暴漢に襲われたパンパンたちを助けたことがきっかけで、被害者を含むバラックの住民たちと親しくしている。犯人は外部か仲間たちの中にいるのか分からないまま、弘道はパンパンの一人と事件を追うが、新たな殺人事件が起きてしまう。隔離された遊廓とは異なり、娼婦たちも普通の人たちと同じ長屋で生活している時代を映し出す。貧しく混沌《こんとん》とした状況なのに、明るく人情味に溢れた作風で、五感のひとつが決め手となるトリックが巧《うま》い。

『踊り子殺人事件』

出張の移動中、レズビアン・ショーのダンサーたちと知り合ったセールスマンの久里村《くりむら》は、彼女たちが出演する京都のクラブの楽屋を訪れた。そこにいた金粉ヌードダンサーと即座に肉体関係を持ってしまうが、ショーの休憩時間に彼女が殺害されたことを知る。芥川賞作家・宇能鴻一郎《うのこういちろう》が覆面作家として別名義で活動を始めた第一作。探偵役となる警部の名前も「酒島章《さかしましょう》」と、シリアスな作風でありながらも遊び心に満ちている。夜光リンボーダンスや大蛇ショーなど、特殊なストリップが登場し、フェティシズムの世界も垣間《かいま》見える。真相の異常愛には度肝《どぎも》を抜かれるだろう。

『女は帯も謎も解く』

海外ミステリの大好きな築地《つきじ》の芸者・二代目まり勇《ゆう》が語り手を務める連作短編集。花街から先代の名前をもらったとはいえ、おそらく芸妓《げいこ》であって娼妓《しょうぎ》ではないと思われるが、定かではない。艶っぽい語り口調でありながらも、ミステリとは関係ないからということで自身の色っぽい話は隠している。「長襦袢の下にパンティなんてはかない」と言ったり、刑事を好きになって「すてきな殺人事件が起こりますように」と祈ったりする茶目っ気も本作の魅力である。ゆりかごから墓場までの一級品が揃う街並みも楽しめる。お勧めは人肉食にまつわる作品が登場する第四話。

『トルコ嬢シルビアの華麗な推理』

吉原にあるトルコ風呂「仮面舞踏会」で働くシルビアは、顧客の妻を殺した犯人を当てたり、他店で起きた密室殺人の謎を解いたりするベッド探偵だ。テクニックにも長《た》けていて、人気も高く、事件解決だけではなく日頃の客の不満にも耳を傾ける。昭和五十九年にトルコ風呂という名称が廃止され、文庫版では『トルコ嬢』から『泡姫』に改題された。業務内容も詳細に描かれているので、特殊浴場の資料としても楽しめる。続編は『泡姫シルビアの探偵遊び』（文庫版は『ベッドディテクティヴ』）。「小説を書くシルビア」の啄木幹雄《きつつきみきお》の創作講座が気になる人は少なくないだろう。

『ソープ探偵くるみ事件簿』

架空の風俗街・北海道来内別《きないべつ》市で、「ガルボ」というソーププランド風の「家族風呂」で働く岸本くるみが探偵役を務める。人間の心や生活を読み取るのが得意な彼女は、冒頭の面接時に店長の生活環境を即座に見抜くなど、数々の推理力を発揮していく。街で働く女性たちの事情には深入りせず、日常の事件から殺人事件までを扱う連作短編集。赤面するような本番描写が出てくるが、官能がメインではなく、くるみの鮮やかな推理が読みどころである。ダイイングメッセージの「破れたページ」と最終話「くるみと乱暴者」の若木刑事との掛け合いによる締めくくり方が特に良い。

『虹の歯ブラシ　上木らいち発散』

赤毛がトレードマークの女子高生・上《かみ》木《き》らいちは、高級マンションの七〇七号室に住んでいる。彼女のアルバイトは、一回五万円の援助交際。自宅には曜日ごとに固定客が訪れ、歯ブラシの色でそれぞれを区別している。順番通りに読むことをお勧めする連作短編集で、趣向を凝《こ》らした作品が続く。特に水曜日「青は海とマニキュアの色」と木曜日「緑は推理小説御用達の色」の切れ味は抜群だ。援助交際の生々しさはなく、性描写すら爽やかに感じさせられる。明るくキュートな色気を持つらいちは、早坂作品のメイン探偵役としてシリーズ化されている。

『吉原遊廓2039年の殺人』

平成五十一年、細胞が活性化されるGM剤の投与によって、人々は若さが保たれ平均寿命も伸びていた。ストレス解消と内分泌を亢《こう》進《しん》させる健康法として、政府は浅草北地区の地下に新吉原遊廓を復元させる。その警備担当として訪れた巡査たちは、男性が首を爆破される事件に遭遇。さらに、怪人21面相と名乗る人物が浮上し、GM開発者の和《わ》久《く》総裁が誘拐され、新たな殺人事件が起きてしまう。かつては借金返済のために無理やり働かされていた女性たちが、近未来では性欲を満たすために自ら遊廓に飛び込んでくる。週休四日、六時間労働、税金徴収なしのこの世界は、果たして二十年後に実現されるのだろうか。

中短編　桔梗の宿／トリック芸者　いなか・の・じけん篇／不思議の国のアリンス

「桔梗の宿」は『戻り川心中』に収録された短編で、昭和三年の六軒端にある娼家が舞台となる。年齢を偽って男性相手をする少女・鈴の心情がせつなすぎる美しい作品だ。

連城との雑談で生まれた竹本健治の「トリック芸者」シリーズは長編『ウロボロスの偽書』の作中作として始まった。「メニエル氏病」（『フォア・フォーズの素数』収録）で独立。「トリック芸者　いなか・の・じけん篇」は『幸せの死の桜』に収録、十五年前に惨殺事件が起きた村にやってきた酉《とり》つ九《く》一行は、過去の事件にそっくりな殺人事件に巻き込まれる。不気味な結末が印象深い。

「不思議の国のアリンス」は山口雅也『日本殺人事件』に収録された中編で、遊廓にそっくりなクルワ（廓）島で起きた遊女連続殺人事件の謎を解く。両腕切断の見立て殺人から導き出す真相が見事だ。「身体を差し出すのが商売の遊女は何をもって愛の証明とすればいいのだろう」という春を売る女たちの永遠の嘆きが、作中人物の言葉で語られている。

解説　倉阪鬼一郎

今回のテーマを思いついた際に、真っ先に浮かんだのが倉阪鬼一郎作品である。近年は精力的に時代小説を刊行しているが、年に一度の恒例「バカミス」も重要な要素だ。ドラマ『TRICK』の台詞《せりふ》「よくもこんな手間のかかることを……」がまさにふさわしい技工の限りをつくした作品を発表し続けている。どうしても収録できなかった某作品について、作者自身から語っていただければと思った次第である。

ミステリ好きの読者から「エロミス」と評価される、官能的なミステリ作品もある。だが、本稿はあくまでも「職種」のひとつとして「春を売る」仕事の女性にスポットを当てた。主人公は男性の作品も多いが、脇役であっても主役のように彼女たちはたくましく、きらびやかで美しい。

「もの」として扱われ、むき出しの情欲を相手にしなければならなく、大半の女性が望まないまま働かされている。病気になり、命を落とすリスクも相当高い。まさに身体を張る仕事だ。そういった彼女たちの悲哀さは承知のうえで、それでも密室や閉ざされた舞台で繰り広げられる様相は、本格ミステリのバリエーションとして魅力的である。

もしも本稿のテーマを作中に触れる前から拒絶され、排除する動きが生じてくるとしたら、いずれは本格ミステリそのものが批判を受ける対象となるかもしれない。そんな危惧は取り越し苦労で、どの分野の架空作品に対しても現実と混同せず、中身で作り手と受け手が勝負する世の中になってほしいと願う。

『そして誰も』系ミステリの世界

諸岡卓真

①『そして誰もいなくなった』アガサ・クリスティー（一九三九）
②『そして扉が閉ざされた』岡嶋二人《おかじまふたり》（一九八七）
③『そして誰かいなくなった』夏樹静子《なつきしずこ》（一九八八）
④『そして誰もいなくなる』今邑彩《いまむらあや》（一九九三）
⑤『そして五人がいなくなる』はやみねかおる（一九九四）
⑥『そして二人だけになった』森博嗣《もりひろし》（一九九九）
⑦『そして今はだれも』青井夏海《あおいなつみ》（二〇〇五）
⑧『そして、誰もが嘘をつく』水鏡希人《みかがみまれひと》（二〇一一）
⑨『そして誰もいなくなる』西村京太郎《にしむらきょうたろう》（二〇一四）
⑩『そして、何も残らない』森晶麿《もりあきまろ》（二〇一五）

一目瞭然、タイトル縛りである。

アガサ・クリスティー『そして誰もいなくなった』のタイトルを意識した（と私が独断と偏見で判断した）作品のみでアンソロジーを編んでみた。作品選択の基準は本当に題名のみ。内容的にどれだけ『そして誰もいなくなった』を踏まえているのかということは全く考慮していない。というのも、常々私は『そして誰もいなくなった』という邦題自体に魅力を感じており、書店でこれを意識したと覚しきタイトルに出会うと、必ず手を伸ばしてしまうということをくり返しているからだ。

実を言えば、当初は『そして誰もいなくなった』の舞台設定や内容を踏まえた本格ミステリ作品のアンソロジーを編む計画であった。このテーマでリストを作り始めたところ、西村京太郎『殺しの双曲線』（一九七七）、綾辻行人《あやつじゆきと》『十角館の殺人』（一九八七）、北山猛邦《きたやまたけくに》『「アリス・ミラー城」殺人事件』（二〇〇三）など、数々の名作が並んだ。ただ、そのリストを眺めていて、ある時ふと疑問を感じてしまったのである。「これって現実にありそうなアンソロジーなのでは……？」と。

もちろん、実現可能なラインナップになっても問題はないのだろう。しかし、本連載は、探偵小説研究会の会員が架空のアンソロジーを編んでみるという企画である。「架空」なのだから、むしろ現実的にはあり得ないラインナップにした方が企画の趣旨に合致するのではないか。そう考えて、自分の趣味嗜好を存分に活かしたアンソロジーを、と思ったのである。

実際にリストを作ってみると、原点たる『そして誰もいなくなった』と日本の長編だけで十作品が集まってしまった（司城志朗《つかさきしろう》『そして犯人《ホシ》もいなくなった』（一九八八）もあるとのことだが、未入手のため今回は割愛した（注））。優れたタイトルは模倣される運命にあるが、この事実こそが、『そして誰もいなくなった』という邦題の素晴らしさの証左になっているだろう。

アンソロジーへの収録は単純に刊行順にした。とはいえ、必ずしも一巻から順番に読み進めていく必要はない。気になったものから読んでいき、時系列順に読むだけでは見つけられない、テクスト同士の関係性をどんどん引き出していって欲しいと思う。

以下、各巻の紹介をしていこう。

①『そして誰もいなくなった』

言わずと知れた世界的名作。脱出不可能な島に集められた十人が、何者かによってそれぞれの「罪」を糾弾されたことをきっかけに、連続殺人の幕が上がる。閉鎖空間でのサスペンス、童謡見立て殺人、テンポのよい展開、サプライズエンディングと、読者を惹きつけるアイディアがこれでもかと詰め込まれており、何度読んでも圧倒される。本アンソロジーの起点になった作品であるため第一巻に置いたが、第二巻以降の作品を先に読んでそれぞれのアイディアを楽しんでから、翻って本作を読んでもその意外性は失われないはずである。

②『そして扉が閉ざされた』

核シェルターに閉じ込められた四人の若者が、三ヶ月前に起きた事件の真相を探っていく本格ミステリ。舞台はごく狭い空間で、関係者も四人と限られているが、そこで繰り広げられる推理は本アンソロジー中で最も濃密。講談社文庫版の解説での島田荘司《しまだそうじ》の表現を借りれば、「四人の内に確実に犯人が存在するのだが、同時に、存在しないという不可解な事実」が徐々に明らかになっていく展開で読者の興味を惹きつけ続ける。そして、この不可能とも思える事態の真実が分かった瞬間、タイトルに込められた意味に膝を打つことになるだろう。

③『そして誰かいなくなった』

豪華クルーザー「インディアナ号」を舞台に、一人、また一人と乗客やクルーが退場していくというストーリー。乗船者それぞれの「罪」が指摘されたり、乗船者が消えるとインディアン人形ならぬ干支の人形が無くなっていくという演出がなされたりなど、本アンソロジーの中でも特に『そして誰もいなくなった』の参照が多い作品である。しかもそれらの参照は、単に先行作への注意を促すだけでなく、結末のトリックにも密接にかかわっている。ネタばれを避けるために詳述することはできないが、クリスティー作品を読んでいればいるほど、興味を惹かれる結末になっていることは間違いない。

④『そして誰もいなくなる』（今邑彩）

名門女子校の開校百周年記念行事の一環として上演された『そして誰もいなくなった』。その舞台上で、毒を飲んで死亡する役の生徒が実際に死んでしまう。その後も役柄通りの順番、方法で芝居の関係者が殺されていくという事件が起こる。警察の捜査が入っても事件は止まる気配を見せず、演劇部の部長や顧問を巻き込んで、混沌とした様相を呈していく。こちらも『そして誰もいなくなった』

への言及が非常に多い作品である。舞台の筋書き通りに現実でも事件が起きるという展開は謎として秀逸で、次の展開を予測させながら次々とそれを裏切っていく手腕には脱帽するしかない。また、終盤では目眩を感じさせるようなどんでん返しのなかで、『そして誰もいなくなった』でも描かれていた「裁かれざる犯罪」というテーマが別の形で浮上し、作品に深みを与えていく。本アンソロジー中でも屈指の傑作である。

⑤『そして五人がいなくなる』

　名探偵・夢水清《ゆめみずきよ》志郎《しろう》シリーズの第一作。遊園地のマジックショーの最中、一人の女の子が舞台上から消えた。そのマジックショーを演じていた「伯爵」はさらに四人の人間を消すと予告する。その言葉通り、ジェットコースターやミラーハウスなどから次々と子どもが消失し、ついには「伯爵」の予告が成就してしまうのであった。子ども向けのレーベルで発表された作品であり、明るく、馴染みやすいキャラクターが特徴である。

　ただし、そのキャラクターにもしっかりと仕掛けがあるので油断できない。トリックも理解しやすいものが選ばれているが、その量と組み合わせの妙は特筆すべきものである。子どもを消してしまう「伯爵」の動機はもちろん、謎が解けたと言いながらなかなか動かない夢水清志郎の心理も意外性十分である。

⑥『そして二人だけになった』

　互いに正体を隠した「僕」と「私」が向かったのは、A海峡大橋を支える巨大なコンクリート建造物の内部。そこには秘密裏に《バルブ》と呼ばれる核シェルターが作られており、そこで実際に生活するという実験が行われることになったのである。「僕」とともに《バルブ》に入ったのは五人。しかし、実験開始早々、殺人事件が発生し、その後も何者かによって一人ずつ殺害されていくのだった。クローズドサークルものでは、どのようにして登場人物たちを閉鎖空間に閉じ込めるかという理由づけが一つの見所だが、本作は「国家機密の核シェルター」という設定を用いることによって実に様々な問題をクリアしている（たとえば、警察の介入の排除、携帯電話の排除など）。また、影武者同士を視点人物にするという捻りも上手く活用されており、意外な展開と結末を演出することにも成功している。

⑦『そして今はだれも』

　ゲームプログラミング同好会の顧問を依頼された新任の高校教師・笑子《えみこ》。同好会の活動をしているというマンションの一室に行ってみると、生徒から予想外の依頼を受ける。高校では女子生徒の退学が続出しており、その背後には教師Xがいるというのだ。Xは女子生徒の弱みを握り、退学に追い込んでいるという。笑子は教員の立場から、その正体を探るべく活動を始める。退学の時期などから考えると、Xの候補者は四人しかいないはずだが、いくら情報を集めてもなかなかその正体には行き着かない。シンプルなはずなのにどうしてこのように混乱が生じてしまうのかという謎解きも興味深いが、本作は謎解きのあとのビターな展開が非常に忘れがたい。ビルドゥングスロマンの味わいもある一作である。

⑧『そして、誰もが嘘をつく』

豪華客船ならぬ豪華飛行客船を舞台にしたファンタジー要素の強い作品。魔法が使える少年・アデルベールと、身長十五センチほどの少女・ティッカが乗り込んだ客船で、怪盗セニンから青いダイヤを盗むという予告状が発見されるというのが物語の発端である。飛行客船という閉鎖空間が舞台であるといっても乗員乗客は千人を超えており、連続殺人が起こるわけではないなど、タイトル以外には『そして誰もいなくなった』との関連はほとんど見られない。しかし、終盤では青いダイヤ盗難事件に絡んで、登場人物のほとんどが何かしらの嘘をついていたことが判明する意外性に富む展開が待っている。怪盗ものということで、⑤と併せ読むのも一興だろう。

⑨『そして誰もいなくなる』（西村京太郎）

④と同タイトルだが、テイストは全く違う。賞金一千万円をかけたクイズツアーに参加した七人の男女。東京駅、神戸、有馬温泉と開催地を変えながら実施されたゲームでは、どういうわけか優勝候補の参加者から脱落し、行方不明になってしまう。残った参加者は、神戸港からクルーザーに乗せられるのだが、洋上で外部への脱出が不可能な状態に追い込まれてしまう。いったい、このツアーの目的は何なのか。そして脱落した参加者はどこへ消えたのか。本作は十津川《とつがわ》警部シリーズの一作であるが、見所は十津川がどのように事件に絡んでいくのかという点だろう。笠井《かさい》潔《きよし》が指摘した通り（『探偵小説と二〇世紀精神』二〇〇五）、クローズドサークルとシリーズ探偵は食い合わせが良くない。シリーズ探偵がいると、全員が殺されてしまうかもしれないというサスペンスが演出しにくいからだ（そのため、本アンソロジーの収録作もほとんどがノンシリーズものである）。この点を本作では唖然とするまでの豪腕で乗り切っている。十津川の破天荒な活躍を存分に楽しんでいただきたい。

⑩『そして、何も残らない』

廃校となった出身中学校に集まった元軽音部の面々。彼らの目的は、学年主任だった教師への復讐だった。その教師は三年前、軽音部のメンバーだった生徒が死んでしまうきっかけを作ったと目されていたのだ。しかし、死んだ生徒が歌うデモ音源「and there were…」を流したところ（もちろんこれは、『そして誰もいなくなった』の原題「And Then There Were None」が意識されている）、最後に学年主任の声が入っていた。「卒業生諸君に死を」。直後、一人が口から血を吐いて倒れてしまう――。テンポ良く起こる事件と、結末のどんでん返しの衝撃も魅力だが、やはり音楽と恋愛をテーマにしたどこか叙情的な雰囲気が印象的である。閉ざされた空間で過去の事件の謎を追うという展開は②、教師と生徒の関係性を描くという点では④や⑦と共通しており（実は別の作品とも共通点があるのだが、ネタばれを避けるために伏せる）、本アンソロジーの別の作品と併読すると、より本作の魅力が引き立ってくるはずである。

なお、短編やショートショートでも『そして誰もいなくなった』のタイトルを踏まえた作品がある。

星新一《ほししんいち》「そして、だれも…」（一九七一、『なりそこない王子』（新潮文庫）収録）は、宇宙船内から一人ずつ飛行士がいなくなっていくというSFミステリ。黒田研二《くろだけんじ》「そして誰もいなくなった……のか？」（一九九六、鮎川哲也《あゆかわてつや》編『本格推理8』（光文社文庫）収録）は閉ざされた山荘での連続殺人を描いた短編作品で、短いながらしっかりと伏線を張ったどんでん返しが決まる。芦辺拓《あしべたく》「そして誰もいなくなった……はずだった」（二〇〇三、『迷宮パノラマ館』（実業之日本社）収録）は完璧な殺人計画を成し遂げたはずの犯人を襲うまさかの悲劇に思わず苦笑するショートショート。

分量が少ないために本アンソロジーには収録しなかったが、どれも独自のアイディアで勝負した逸品である。『そして誰も』系ミステリにハマったら、ぜひこちらも読んでいただきたい。

（注）雑誌掲載時（二〇一八年一二月）での情報。その後、『そして犯人もいなくなった』を入手することができた。即死したはずの死体が自ら歩いて横断歩道を渡ったとしか思えないという魅力的な謎からはじまる軽快なミステリであった。なお、二〇二三年六月までに、長編では白井智之《しらいともゆき》『そして誰も死ななかった』（二〇一九）、貴戸湊《きどそう》太《た》『そして、ユリコは一人になった』（二〇二〇）、短編では有栖川《ありすがわ》有栖《ありす》「こうして誰もいなくなった」（二〇二一、『こうして誰もいなくなった』収録）なども発表されている。

墓場へ持ちこまれた謎を解く

横井司

『13の密室』（一九七五）を皮切りとする名アンソロジーのシリーズで有名な渡辺剣次《わたなべけんじ》は、アンソロジーの刊行と同時にガイド・ブック『ミステリイ・カクテル――推理小説トリックのすべて』を上梓している。江戸川乱歩《えどがわらんぽ》の「類別トリック集成」の分類に従って、さまざまなトリックの面白さを内外のミステリを博捜しながら紹介しており、扱われているトリックは多岐にわたっていた。

ところが同書における最後の四章は、そうしたトリック紹介とは異なっていた。その内の一章は、「類別トリック集成」縁起ともいうべき内容で、同書のあとがきに相当する。また別の一章は、日本における海外長編ベスト・テンの試みを振り返るものだった。そして残りの二章――「墓場へもちこまれた謎」および「未完の悲劇」が、内外のミステリにおける未完の作品を紹介するという、異色の内容だったのである。

渡辺が未完の作品をまとめて紹介しようとした意図はよく分からないが、刊行当時、深く印象に刻み込まれた。『ミステリイ・カクテル』が出た後も、そこでは取り上げられていない未完作品や、それに基づく他者の手になる完結作品が、何冊か出ている。また、同書が出た時点で知られていたはずだが、紹介されなかった作品もいくつかある。そうした作品を改めて集成しようと考えて企画されたのが、今回の「墓場へもちこまれた謎を解く」アンソロジーである。

〈海外編〉全四巻予定

エドガー・アラン・ポオ&ロバート・ブロック
「灯台」（一九五三）

ポオ（一八四九年歿）の遺産管理人が保管していた草稿から発見。ブロックの短編「ポオ収集家」（一九五二）を読んだポオ研究家T・O・マボット教授の示唆で完結させた。既訳に吉田誠一《よしだせいいち》訳、仁賀克雄《じんかかつお》訳、巽孝之《たつみたかゆき》訳（ポオの執筆部分のみ）がある。

グラント・アレン&コナン・ドイル
『ヒルダ・ウェード』（一九〇〇）

アレン（一八九九年歿）が急逝し中絶した連載の結末をドイルが完結させた。女性版ホームズvs.モリアーティという趣きがなくもない。既訳は平山雄一《ひらやまゆういち》訳（盛林堂ミステリアス文庫）がある。

なお、グラント・アレンには神出鬼没の悪漢クレイ大佐が活躍する連作短編集『アフリカの百万長者』（一八九七）があり、エラリー・クイーンがミステリ史に残る里程標的作品集を選んだ『クイーンの定員』（一九五一／増補版、一九六九）の第二十一番目に選ばれている。ドイルはアレンの友人で、隣人でもあった。完結をドイルに依頼し、病床で腹案を語ったと伝えられており、ほぼアレンの意図通りの結末だと考えられる。

クレイグ・ライス&エド・マクベイン

『エイプリル・ロビン殺人事件』（一九五八）

ライス（一九五七年歿）の遺作をマクベインが書き継いで完成。どこからがマクベインの補完部分かは明確ではないが、最終20〜21章ではないかと思われる。シリーズ・キャラクターの街頭写真屋ビンゴとサムのやりとりは、87分署の刑事のやりとりを彷彿させるからだ。既訳に森郁夫《もりいくお》訳がある。

マージェリー・アリンガム&ヤングマン・カーター

Cargo of Eagles（一九六八）

アリンガム（一九六六年歿）の遺稿を、夫で装幀家のカーターが、二人で話し合った構想を基に完成させた。カーターはその後もアルバート・キャンピオン・シリーズを書き継ぎ、二作品を上梓。アリンガムが初めて書いたミステリ長編『ホワイト・コテージの殺人』（一九二八）に寄せた森英俊《もりひでとし》の解説「知られざるアリンガム」（創元推理文庫、二〇一八）によれば、三作目は未完で残されたが、二〇一四年にマイク・リプリーが書き継いで完成させ、その後もリプリーがシリーズを継続しているという。

コーネル・ウールリッチ&ローレンス・ブロック

『夜の闇の中へ』（一九八七）

ウールリッチ（一九六八年歿）が残した未完の長編のひとつを、ブロックが補綴して完成。既訳に稲葉明雄《いなばあきお》訳がある。補綴箇所は、早川書房から一九八八年に刊行された邦訳に付せられたフランシス・M・ネヴィンズJr.の解説に詳しい。ネヴィンズは結末部分が「きれいごと過ぎるように思える」と述べており、ハヤカワ・ミステリ文庫版（一九九四）に解説「宿命の詩人――ウールリッチに思う」を寄せた小池真理子《こいけまりこ》も、それに同感のようだ。

レイモンド・チャンドラー&ロバート・B・パーカー

『プードル・スプリングス物語』（一九八九）

チャンドラー（一九五九年歿）が残した原稿を、ダシール・ハメットおよびチャンドラーの研究家であり、私立探偵スペンサー・シリーズの書き手でもあるパーカーが書き継いだ。既訳に清水俊二《しみずしゅんじ》訳（チャンドラーの執筆部分のみ）、菊池光《きくちみつ》訳がある。チャンドラーの執筆部分は冒頭の四章のみであるため、事件自体はパーカーのオリジナル・プロットと見なしていい。原尞《はらりょう》は早川書房から一九九〇年に刊行された邦訳に付せられた解説「ハードボイルド雑感」で、チャンドラーが亡くなった年齢まで生きられたら、自分の手で「補筆完成させてみたい」と書いている。

その原尞は本年（二〇二三年）五月四日に鬼籍に入ってしまった。享年七十六。チャンドラーが歿したのは七十歳なので、補筆完成させる年齢には達していたことになる。原による補筆完成版が残されているかどうかは、残念ながら分からない。

ドロシー・L・セイヤーズ&ジル・ペイトン・ウォルシュ
Thrones, Dominations（一九九八）

セイヤーズ（一九五七年歿）が、ピーター・ウィムジー卿が登場する第13作目の長編を書きかけて断念した遺稿を、児童文学作家（後に大人ものの小説も書き、ミステリも書いている）ウォルシュが完成させた。ウォルシュは続けてピーター卿シリーズの長編を三作書き継いでいる。

〈日本編〉全四巻予定

平林《ひらばやし》初之輔《はつのすけ》&冬木《ふゆき》荒之介《あらのすけ》「謎の女」（一九三二）

平林（一九三一年歿）がパリで客死後、自宅で発見された原稿が『新青年』一九三二年一月号に掲載される。その際、編集部が続編を読者に募り、五十編近い応募作から選ばれたものが同年三月号に掲載された。冬木の続編も収録した鮎川《あゆかわ》哲也《てつや》編『怪奇探偵小説集』（双葉社、一九七六）の解説では、冬木の正体を不明としていたが、現在では井上靖《いのうえやすし》の筆名であることが知られている（宮崎《みやざき》潤一《じゅんいち》『若き日の井上靖――詩人の出発《たびだち》』［土曜美術社出版販売、一九九五］を参照のこと）。

小栗《おぐり》虫太郎《むしたろう》&笹沢《ささざわ》左保《さほ》
「悪霊」（一九七一）

小栗（一九四六年歿）が新雑誌『ホープ』のために書き始めていたが急逝して中絶。編集部の好意で探偵雑誌『ロック』一九四六年四月号に遺稿が掲載された。その際、海野《うんの》十三《じゅうざ》が「遺作『悪霊』について」で残された構想メモを紹介。その構想メモに基づいて笹沢が完成させ、『別冊小説宝石』一巻三号（一九七一・九）に一挙掲載された。

海野十三&横溝《よこみぞ》正史《せいし》
『少年探偵長』（一九五〇）

海野（一九四九年歿）が亡くなったとき、何作かのジュブナイル小説を連載中だった。そのうち横溝が書き継いで完成させたのが、『東光少年』一九四九年一～十一月号に連載された本作品である。翌年、東光出版社版『海野十三全集』第一巻に収録された。三一書房版『海野十三全集』第十三巻（一九九二）における瀬名《せな》堯彦《たかひこ》の解題によれば、海野作品では他に『未来少年』（一九九三）を高木《たかぎ》彬光《あきみつ》が、『蠅男』のリライト『美しき鬼』（一九五〇）を島田《しまだ》一男《かずお》が書き継いでいる由。

坂口《さかぐち》安吾《あんご》&高木彬光
『樹のごときもの歩く』（一九五八）

安吾（一九五五年歿）が「復員殺人事件」と題して雑誌『座談』一九四九年八月号から連載を始めたが、翌年三月号で同誌は廃刊となり中絶。未完のまま安吾は歿してしまう。『宝石』再建に乗り出した乱歩が、安吾の執筆分を一九五七年八月号から再録した上で、同年十二月号から高木に続編を書き継がせた。初出時は犯人当ての懸賞募集が行なわれており、一九五八年五月号に掲載された高木の選評中に、坂口夫人から聞いたという安吾のプロットも紹介されている。これまで東京創元社、浪速書房、角川文庫、筑摩書房版全集などで刊行されているが、高木が執筆した読者への挑戦や選評を本文に挿入する形で刊行されたことはない。

久生《ひさお》十蘭《じゅうらん》&久生幸子《さちこ》

『肌色の月』（一九五七）

『婦人公論』一九五七年四月号から連載が始まったが、十蘭（一九五七年歿）の急逝で八月号で中絶。夫人の手で結末が書き加えられ、十二月に短編二編と共に中央公論社から上梓された。同年十月に東宝で映画化された（杉江《すぎえ》敏男《としお》監督、長谷川《はせがわ》公之《きみゆき》脚本）が、単行本刊行前であり、補完部分の扱いについては不詳。一九七四年になって、NHK少年ドラマシリーズ『霧の湖』としても放映されている（花房實《はなぶさみのる》演出、砂田量爾《すなだりょうじ》脚本）。

なお、十蘭には少女雑誌『りぼん』に第二回まで連載した「いつまたあう」という中絶作品もあり、こちらは二反長半《にたんおさなかば》が書き継ぎ、完結させた（盛林堂ミステリアス文庫刊）。

コーネル・ウールリッチ&戸川昌子《とがわまさこ》

「負け犬」（一九七二）

ウールリッチ（一九六八年歿）が残した遺稿長編の一作。小鷹信光《こだかのぶみつ》「未完の遺作『負け犬』について」によれば、序章から最終章まで断続的に六つの部分が残されているが、ミステリとしてキモとなる部分が欠落したものだという。その序章を冒頭に配し、残りを戸川が書き継ぎ、『別冊小説宝石』二巻三号（一九七二・九）に掲載されたのが本作品で、海外作家の未完作を邦人作家が書き継ぐという例は極めて珍しい。

ウールリッチの原作をメタレベルで踏まえた、かなり自由な筆致と展開で、まったくの戸川小説になってしまっている異色作。ウールリッチ執筆部分は、同じ永井淳《ながいじゅん》訳が、終章とともに『ミステリマガジン』一九七六年八月号に訳載された（右にふれた小鷹の文章は、その際のルーブリックである）。

天藤真《てんどうしん》&草野唯雄《そうのただお》

『日曜日は殺しの日』（一九八四）

カドカワノベルズとして上梓された際の草野唯雄の「あとがき」には、天藤（一九八三年歿）が一九七三年に発表した自作の同題中編を長編化しようとしている最中に倒れ、「おれが書けずじまいになった時は、草野にあとの引き継ぎを頼んでくれ」と夫人に言い残して逝ったという経緯が書かれている。

藤雪夫《ふじゆきお》&藤桂子《けいこ》

『黒水仙』（一九八五）

藤雪夫（一九八四年歿）が遠藤《えんどう》桂子名義で『宝石』百万円コンクー

ルに応募した「渦潮」（一九五〇）を改稿中に倒れ、前年に『獅子座』で世界初の父娘共作作家として話題をまいていた実娘の桂子が完成させ、講談社から上梓された。

山村美紗《やまむらみさ》&西村京太郎《にしむらきょうたろう》
『龍野武者行列殺人事件』（一九九七）

山村が一九九六年に急逝した際、連載中だった長編二本を、西村が完結させたもののひとつ。西村の「あとがき」によれば、生前からの約束であったという。本作品は『週刊小説』一九九六年一月十九日号から九月十三日号までで中絶。翌年二月二十一日号から三月七日号まで西村が連載して完結、ジェイ・ノベルスとして刊行された。

もう一編の未完作『在原業平殺人事件』は『中央公論』一九九六年二～一〇月号に掲載された後、翌年四～六月号で西村が完結、Cノベルスとして刊行された。

北森鴻《きたもりこう》&浅野里沙子《あさのりさこ》
『邪馬台』（二〇一一）

北森（二〇一〇年歿）が『小説新潮』二〇〇八年一〇月号から「鏡連殺《かがみれんさつ》」というタイトルで連載を開始したが、二〇一〇年二月号で中絶。公私にわたるパートナーで作家の浅野里沙子が残された構想ノートをもとに補筆し、完結させて新潮社から上梓。浅野里沙子の「あとがき」によれば、作中に登場する古文書の解読法の他は、構想メモがほとんど残されておらず、「補完のための最大の手がかりは、連載分のテキストのみという状況」だったという。浅野には、北森の構想に基づく短編「天鬼越《あまぎごえ》」もある。

〈全巻購入特典〉

DVD『幻しの合唱』（一九三五、米）
スチュアート・ウォーカー監督

チャールズ・ディケンズ（一八七〇年歿）の中絶作『エドウィン・ドルードの謎』（一八七〇）の映画化作品。日本公開は一九三六年。脚本はレオポルド・アトラスとブラッドリー・キングが書き上げたものをもとに、ジョン・L・ボルダーストンとグラディス・アンガーが手を入れた。二〇二〇年になって、コスミック出版から『ホラー・ミステリー文学映画コレクション／恐怖と幻想の世界』DVD十枚組セット内の一枚としてリリースされた。渡辺剣次が『ミステリイ・カクテル』で言及していた際は『幻の合唱』という表記だったが、ここではDVD版の邦題に合わせている。

ディケンズの原作は、一九八五年にブロードウェイ・ミュージカルとして上演され、日本でも二〇一六年に日本人キャストで上演された。結末は288通りで、観客の投票で犯人を決める参加型ミュージカルだったという。脚本はルパート・ホームズ。また、一九九三年にもイギリスで映画化されているが、そちらは日本未公開。監督・

脚本はティモシー・フォーダー。近年では、二〇一二年にイギリスBBCテレビでドラマ化され、こちらはIVCからソフト化されている。脚本はグウィネス・ヒューズ。

　エドウィン・ドルード失踪事件の謎を解こうとする試みは古くから行われている。記録として残っているものだけでも、一九一四年にG・K・チェスタトンを裁判長とした本事件の模擬裁判が行なわれ、その公判記録が *Trial of John Jasper for the Murder of Edwin Drood* と題して出版されたことがあるし、同年にアメリカのフィラデルフィア音楽院でも実際の法曹家を招聘して同じ試みが行われて、その記録が二年後に出版されている。ディケンズの原作を下敷きにした創作としては、オースティン・フリーマンの『アンジェリーナ・フルードの謎』（一九二四）があり、こちらは失踪者を女性に変えて、フリーマンが創造した名探偵ジョン・ソーンダイク博士が謎解き役として登場する。他にも、現代の刑事が過去にタイム・スリップして謎に挑むという趣向のブルース・グレイム『エドウィン・ドルードのエピローグ』（一九三四）や、シャーロック・ホームズが調査に乗り出すという趣向のピーター・ローランド『エドウィン・ドルードの失踪』（一九九一）などがある。

　一編の作品に仕立て上げるまでにはいかないまでも、二階堂《にかいどう》黎人《れいと》が二〇〇四年に上梓した『魔術王事件』の中で自身の創造した名探偵・二階堂蘭子《らんこ》に真相を語らせているし、『エドマンド・ゴドフリー卿殺害事件』（一九三六）を著したジョン・ディクスン・カーが、『消えたエリザベス』（一九四五）を書いたリリアン・デ・ラ・トーレに宛てた手紙で犯人を指摘している（井伊順彦《いいのぶひこ》は一九六〇年ごろではないかと推察している。『アンジェリーナ・フルードの謎』［論創社、二〇一六］を参照のこと）。カーもデ・ラ・トーレも、右にあげた現実の謎を解決する歴史ミステリの書き手だけに、真相が明かされているかどうか、それが正解かどうかという以前に、やりとりがあったというだけでワクワクさせられる。

　このようにディケンズの残した謎は多くの人々を刺激してきたわけだが、原作をそのまま書き継ぎ、一巻本として刊行された例はあるのかどうか、寡聞にして知らない。

　ディケンズは例外としても、一般文学すなわち、いわゆる純文学の未完作品を原作者以外の書き手が完結させたという例は稀である。日本だけに限っても、尾崎紅葉《おざきこうよう》『金色夜叉』続編を弟子の小栗《おぐり》風葉《ふうよう》が書いたとか、夏目漱石《なつめそうせき》『明暗』の続きとして水村美苗《みずむらみなえ》が『続明暗』を書いたとかいう例ぐらいだろう。いわゆる純文学は、書き手の精神性・内面性と深く結びついており、そうした個人の精神や内面は唯一無二、他者が再現できるものではないという文学観が、暗黙の了解となっているからであろうか。

　ミステリというジャンルにおいて、しばしば続編が書き継がれるのは、ミステリは書き手の精神や内面を反映した〈文学〉ではなく、物語だと捉えられているからであろう。ストーリーやプロットが主役だと考えられているといってもいい。その考え方の是非は今は措くとして、いずれにせよだからこそ、書かれた（残された）言葉のみを手がかりに、さらなる言葉が繰り出され、紡がれていく。

だが、それは特権的な書き手にのみ与えられた権利ではなく、すべての読者に開かれている。未完作品の完成版は、ある完結例を示すことで、必然的に読者の参加欲を刺激する。ミステリというジャンルが有する、約束事の多さが、かえって読者の推理や想像を促す。しかも、より優れた結末を許容するのは、このジャンルの特徴なのである。

最近になって、作者逝去のために未完のまま刊行された内田康夫《うちだやすお》の『孤道《こどう》』（一九九八）を公募によって完結させるというプロジェクトが行なわれた。その際、百編を超える応募作品があったという（最優秀作は和久井清水《わくいきよみ》の『孤道～我れ言挙《ことあ》げす』。二〇一九年に講談社文庫から『孤道 完結編 金色の眠り』と改題して刊行された）。

未完のミステリ作品は、江戸川乱歩「悪霊」（一九三三）や浜尾四《はまおし》郎《ろう》「平家《たいらけ》殺人事件」（一九三四）、木々高太郎《きぎたかたろう》「美の悲劇」（一九五三～五四）、松本清張《まつもとせいちょう》「神々の乱心」（一九九七）など、大物が残されている。そうした未完作品を完結させようという試みが、今後も現れないとは限らない。

本アンソロジーに収録した作品を通して、謎解きのゲームに興ずると同時に、開かれた、自由な読書体験を味わわれんことを。

海底ミステリ全集

市川尚吾

ジェームズ・キャメロン監督の映画《アビス》を見て以来、海底居住施設を舞台にした作品に猛烈に惹かれるようになった。何がこんなに自分を惹き付けるのかを分析しつつ、海底ミステリ全集（海底を舞台にしたミステリの全集）全十巻を編んでみようと思う。

1『海底二万里』（ジュール・ヴェルヌ）
『マラコット深海』（コナン・ドイル）

海底を舞台にした小説はすべて、ヴェルヌ『**海底二万里**』から派生したと言っても過言ではないだろう。この作品に限らず、海中世界の探検行を描いた小説は基本的に、SFに分類されることが多いが、深海という未知の領域を探検する小説はおのずと冒険小説の側面を持ち、広義のミステリにも分類が可能だということで、この全集にはSF作品も積極的に取り入れている点はご承知頂きたい。

今年（二〇一九年）は『海底二万里』で海底探検の夢が語られてから一五〇年目という節目の年である（後編の刊行によって物語が完結したのは一八七〇年だが、海底探検の夢が世界で初めて活字化されたのは前編が刊行された一八六九年なので、そちらを起算年とする）。今回全集に採った後世の作品内でも言及されることの多い古典中の古典であり、これを第一巻に採らないわけにはいかない。

古典SF作家の代表作を採ったついでに、古典ミステリ界を代表して、名探偵ホームズの産みの親による『**マラコット深海**』も同時収録しておこう。すでに潜水艦が各国海軍で実用化されていた一九二九年（ヴェルヌ『海底二万里』から六十年も後）に刊行された同作で、作者ドイルは、水深と水圧が比例するという科学法則に疑問を呈したり、潜水方式も前時代的だったり、いろんな意味でヴェルヌに負けているのだが、海底に沈んだアトランティス大陸に生存者がいて、二つの文明の交流と対立が描かれるという主題部分に関しては、独自性が見られる。

ちなみに海底に没したアトランティス大陸に海底人が棲んでいるという設定は、海野十三《うんのじゅうざ》も『海底大陸』で採用している。

2『海底都市』（海野十三）
『海底の魔術師』（江戸川乱歩《えどがわらんぽ》）ほか

一巻に海外古典作品を採ったので、二巻には国内古典作品をまとめようと思う。古さでは最古となる『海底軍艦』（押川春浪《おしかわしゅんろう》）は、面白さは充分なのだが、肝心の海中シーンが描かれていないので本全集には採らない。

海野十三作品からは先述の『海底大陸』ではなく、オリジナリティの高い『**海底都市**』のほうを採用する。戦後の焼け跡で少年がタイムマシンに乗り込み、未来の自分に意識が入り込んで海底都市生活を味わうという（今で言う《アバター》的な）設定で、後半になるとやはり海底人が登場するのだが、そこで桜坂洋《さくらざかひろし》『All You Need Is Kill』を少し連想させるような、面白いネタが用いられているのが興味深い。

乱歩の『**海底の魔術師**』は、少年探偵団のシリーズ中では人気がイマイチの作品だが、沈没船の宝を巡って敵とやりあう海中戦が読みどころとなっており、やはりこの全集には欠かせないだろう。敵が出入口にしている岩の裂け目は海中にあるが、基地自体は岩山の洞窟内の水面から浮上した場所にあるので、海底基地マニアからすればやや物足りない。まあ昭和三十年に海底基地を作ってしまうと完全にSF作品になってしまうので、それはそれで仕方のないところか。

この二編だけだと他の巻と比べて薄くなってしまうので、戦前から戦後にかけての一時期に書かれた潜水艇や潜水夫がらみのミステリ中短編群から「**潜航艇『鷹の城』**」（小栗虫太郎《おぐりむしたろう》）「**鮫人の掟**」（橋《はし》本五郎《もとごろう》）「**海底の墓場**」（埴輪史郎《はにわしろう》）の三編を加える。海底基地は出てこないものの、いずれも潜水という要素を活かした点が評価できる作品である。

3『伊豆七島殺人事件』（西村京太郎《にしむらきょうたろう》）『海底密室』（三雲岳斗《みくもがくと》）ほか

三巻には「海底生活空間を舞台とした密室ミステリ」を集めてみた。本格ミステリ的にはこの巻がメインとなる。

西村京太郎はお得意の鉄道ミステリ以外に海洋ミステリも多く書いているが、その中でも『**伊豆七島殺人事件**』はここで紹介するのに相応しい、出来の良い本格作品である。水深四十メートルに設置された海底居住実験施設内で殺人事件が発生する。出入口は開放型で、施設内の気圧は外の水圧と同じ五気圧に設定されている。なので施設内の空気を吸った殺人犯は、減圧のため浮上には十分以上の時間をかけなければならなかったはず。さらに就航前の深海作業船の中で第二の死体が発見される。混合ガスのヘリウム効果を考慮したアリバイ工作など、海底実験施設という特殊な舞台設定を活かしたトリックが用いられており、取材力と構成力は評価に値する。

三雲岳斗『**海底密室**』は水深四〇〇〇メートルの深海底に造られた実験施設内での連続不審死事件を描いている。混合ガスを用いた飽和潜水の限界は七〇〇メートル前後と言われており、それより水深の深い海底施設は閉鎖型になる。つまり施設内は地上と同じ一気圧に保たれており、潜水艇で到着した人は加圧の必要なく、すぐに施設内に立ち入ることができる。その代わり、もの凄い水圧に耐える外殻が必要となる点では潜水艦と同じである（閉鎖型の海底施設は海底に着地したままの潜水艦のようなものだと考えることができる）。閉鎖空間の強度は孤島や雪の山荘をはるかに超えており、外部からの侵入者は絶対にあり得ない。殺人事件だとしたら犯人は必ず施設内にいる。そんな閉鎖状況の創出のみならず、深海底の実験施設だからこそ成り立つトリックが用いられている点にも要注目。

ちなみに二〇〇〇年刊の『海底密室』作中には、科学雑誌の記者が神岡鉱山を取材していたという言及がある。小柴昌俊《こしばまさとし》教授のノーベル賞受賞でカミオカンデが有名になったのは二〇〇二年であり、著者の先見性（と科学技術への目配りの確かさ）には驚かされる。

その他、海底を舞台にした本格ミステリの近年の収穫として短編「**コロッサスの鉤爪**」（貴志祐介《きしゆうすけ》）もこの巻に収録しておきたい。水圧の壁によって作られた密室殺人という部分で、西村京太郎作品と競合しており、両者を読み比べるのも一興となろう。

4『スフィア』（マイクル・クライトン）
5『アビス』（オースン・スコット・カード）
6『ソリトンの悪魔』（梅原克文《うめはらかつふみ》）
7『鯨の王』（藤崎慎吾《ふじさきしんご》）

四巻から七巻にはこの全集のハイライトとなる「海底居住施設を舞台にした大作」を四作並べて収録する。四巻五巻が海外作品で、六巻七巻が国内作品である。

四巻に収録の『**スフィア　球体**』では水深三〇〇メートルの海底に宇宙船のようなものが沈んでいるのが見つかり、その調査のために建設された海底基地が、物語の主要な舞台となる。飽和潜水を前提とした開放型の施設で、電力補給や通信のために海上の支援船とケーブルで繋がれているが、嵐が来てケーブルが切り離され、宇宙船の調査のために編成されたチームが海底に取り残される。そこからいろいろとあるのだが詳述は避けよう。とにかく傑作であり必読。この小説は一九八七年に米国で刊行され、十一年後には映画化もされている。

五巻に収録する『**アビス**』は映画のノベライズ作品だが、ジェームズ・キャメロン監督が「ただのノベライズ」にはしたくなかったということで、ＳＦ作家としてすでに地位を築いていたオースン・スコット・カードを執筆者に起用し、そのぶん完成度の高い作品となっている。物語の舞台となる海底掘削基地は水深六七〇メートルに設置されており、海上の支援船とはケーブルで繋がれている。嵐などで海上が荒れるときには一時的にケーブルを切り離して安全を確保するのだが、施設に乗り込んできた軍人が潜航艇を勝手に使ったため切り離しが遅れ、支援船のクレーンが折れて海底施設が危機に陥る。『スフィア』と共通する部分が多いが、海底居住施設を舞台にすると設定が似通ってくるのは仕方のないことなのだろう。『アビス』の映画およびノベライズは『スフィア』刊行より二年後の一九八九年に公開・出版されている。

六巻には『**ソリトンの悪魔**』を収録する。梅原克文はこの作品で第四十九回日本推理作家協会賞を受賞している。大規模な海上都市が未知の深海生物によって破壊され、近くで稼働していた海底掘削施設にも被害が及ぶ。水深二七〇メートルに位置する施設は開放型で、支援船とはケーブルで繋がっている。支援船に乗っていた主人公は、いろいろあって数人の仲間とともに海底施設に辿り着くが、安全確保のために自らケーブルを切り離す。大規模海難事故の影響で現場周辺では潜水艇が不足しており、施設からの脱出は容易ではない。それでもまだ不足とばかりに危難がさらに連続し、読む手が止められない。ホロフォニクス・ソナーやソリトン生命体など聞き慣れない要素を持ち込んで、独特の作品世界を作り出している点がグッド。

七巻の『**鯨の王**』は常識外の巨体を持つ鯨群を巡って陰謀が渦巻く中、水深四五〇メートルの海底に設けられた研究施設が危難を迎えるのが、ストーリー展開上の山場のひとつになっている。閉鎖型の施設で海上の支援船とは水中エレベーターで繋がっており、内部は一気圧に保たれているという舞台設定で、大陸棚ではなく海山の頂上付近の、水深の比較的浅い部分に施設が建てられているというのが、海底ミステリ的には珍しいと言える。有人無人の各種潜水艇やら潜水艦やらが次々に登場し、海底ものとして非常に満腹度の高い作品に仕上がっている。

8『怒れる深海底』（斉藤英一朗《さいとうえいいちろう》）
『深海実験室7《デプス・ラブ・セブン》』（麻生竜《あそうりゅう》）
『絶深海のソラリス1・2』（らきるち）

八巻には比較的マイナーな作家による海底ミステリの秀作を集めてみた。

『**怒れる深海底**』は昭和の緑背ソノラマ文庫から出版された隠れた名作のひとつ。舞台となるのは水深四八三〇メートルの深海底に作られた無人のプレート発電所と、海底から送られてきた電力をマイクロ波で陸地へと送信する海上中継センター。発電所が稼働した日に海上中継センターがテロリストに襲われ、海底発電所が操作不能に陥る。このままでは発電所が蓄電オーバーで爆発してしまう。発電停止のために主人公が潜水艇で海底発電所に向かうが、そこにはすでに何者かが先着していた。そんな感じで、とても少年向けとは思えない、ハードで科学的正確性を備えた物語が展開される。

『**深海実験室7**』は今は無き自費出版の雄、碧天舎が版元の、これまた隠れた名作。水深五〇〇メートルに作られた開放型の深海実験室が海底地震の被害に遭う。その際、近くの海底から、両翼十メートルほどの無人ステルス機に似た外見を持つ兵器のようなものが発見される。苦労してラボ内に引き上げるが、直後に謎の武装集団が乗り込んできて研究者たちを制圧する。海底施設での銃撃戦は外殻に損傷を与えそうで怖さも五十気圧級。

『**絶深海のソラリス**』シリーズはＫＡＤＯＫＡＷＡ傘下のＭＦ文庫Ｊが版元で、刊行がつい四、五年前というかなり新しめの作品。陸地の大半が水没した未来で、人類の一部は水使いという超能力を持っているという設定。シリーズ二冊とも水使いたちが謎の海底研究施設で凶悪なモンスターたちと戦う話である。海中での呼吸や水圧の問題は水使いの能力で解決されてしまうので、海底ものの醍醐味にはやや欠けるが、一冊目を読んでからの二冊目にミステリ的な興趣があるので、海底ミステリ全集にはぜひとも採りたい連作である。

9『海底基地ＳＯＳ』（高橋泰邦《たかはしやすくに》）
『ダーク・ライフ』（カット・フォールズ）

海底居住施設が出てこないので本全集には採らないが、アーサー・C・クラーク『海底牧場』の牧鯨という発想が、後世の作品に影響を与えたことは間違いない。その影響を受けた二作を九巻に採る。

『海底牧場』の訳者でもある高橋泰邦による『**海底基地ＳＯＳ**』がまずひとつ。ソノラマ文庫らしく少年目線で海底基地生活が描かれる中、最終的に地球を揺るがす大事件が発生する。

海外ジュブナイルの『**ダーク・ライフ　海底の世界**』でも、海底居住区の人間たちが海底農場を営んでいる姿が描かれる。海底生活者たちの助けになるのが「液体酸素《リクィジェン》」という便利な道具。海賊団のリーダーの造形に光るものがあり、なかなか面白い作品である。

10『深海の悪魔』（大石英司《おおいしえいじ》）
『群青神殿』（小川一水《おがわいっすい》）
『海に降る』（朱野帰子《あけのかえるこ》）

西村京太郎『伊豆七島殺人事件』の題材となった海底居住実験は、実際にシートピアという施設で一九七〇年代に行われていた。実験を主導していた海洋科学技術センターは、今では海洋研究開発機構（ＪＡＭＳＴＥＣ）と名前を変え、日本が世界に誇る潜水調査船しんかい６５００や支援母船よこすかを所持している。十巻では番外編として、海底居住施設は出てこないものの、ＪＡＭＳＴＥＣや潜水調査船が出てくる作品を集めてみた。

『**深海の悪魔**』ではしんかい６５００が大活躍する。海底調査の際に未知の生命体が目撃されたのを契機として、日本列島のあちこちで人々が海棲の魔物に襲われるという事態が発生。一種のパニック小説であり、浮上不能となったＤＳＲＶ（深海救難艇）を巡る危難も描かれる。

『**群青神殿**』でも謎の生物が船舶を襲って人間社会に被害を及ぼす。メタンハイドレート採取を目的とした民間の試錐艇が登場し、やはり深海底で身動きが取れなくなる。

『**海に降る**』はしんかい６５００初の女性パイロット候補生が主人公だが、基本的にはサラリーマン小説で、このまま海に潜らずに終わってしまうのかと読んでいて心配になる。最後にちゃんと見せ場は用意されているのでご安心を。他の収録作との共通点もあり、この巻に採った意味も読めばわかるだろう。

飛行機ミステリ全集（第一期）

浦谷一弘

第14回が「海底ミステリ全集」だったので、今回は「空」である。もちろん、私の個人的な興味でしかないのだが、『飛行機ミステリ全集』を編みたいっ。と考えている。

私自身が飛行機に乗るのは、修学旅行の引率の時ぐらいしかなく、そんなにたくさんの回数、乗ったわけではないのだが、飛行機を含む「空の旅」に関わるものには何ともいえない憧れと些かの不安と非日常への心のざわめきを覚える。

ニュージーランドへの修学旅行の引率では、10時間以上のフライトだったのだが、ほとんどの乗客は寝ているか、映画を見ているか、音楽を聴いているかしている。しかし、そんな長時間のフライトの際にこそ、『飛行機ミステリ全集』をデバイスにダウンロードして手荷物に入れて行けば、特別の臨場感でもって、決して退屈することがないのではないだろうか。

飛行機にもさまざまな種類があるが、主なものを二つ挙げると、それは、旅客機と戦闘機（軍用機）の二つである。飛行機の発達の歴史から考えると、戦闘機（軍用機）の方が先なのだろうが、本全集では、私たちに馴染みの深い（「空の旅」用ということもあって）旅客機の方を描いた作品を収録していきたい。

第一巻はやはりアガサ・クリスティーの「**雲をつかむ死**」を収録したい。第一巻は本全集の顔のようなものなので、ミステリの女王の、ポアロ登場作品の本格ミステリを入れておく。パリ発クロイドン（ロンドン）行の航空機プロメテウス号の機内で金貸しの老婦人が毒殺される。機内に乗り合わせていたエルキュール・ポアロが事件の謎を解くのだが、実際に飛行機内の場面は最初の第二章までで（空港の場面を入れても第三章まで）、後は地上での本格ミステリである。それでも飛行機ミステリの象徴的な作品として必読と考えるので、第一巻に。

飛行機（旅客機）と本格ミステリとの相性を考えた時に、航空機内は一つの閉鎖状況が成立するという面で、相性がいいともいえる。絶海の孤島や嵐の山荘などのように、警察権力を謝絶し、容疑者を登場人物の中に限定することができる。そういう意味で、一見、本格ミステリとは相性が良さそうにも思える。しかし、惜しむらくは、飛行機は長くても十数時間で着陸しなければならない。旅客機の場合は航路や航空時間が決められているし、燃料にも限界がある。いくら閉鎖状況で事件が起きても、たかだか十数時間で着陸した時点で閉鎖状況は開放され、乗客は降機し、警察権力が介入してくる。名探偵はかなりのスピード解決を求められる。それらの事情から、航空機を舞台にした本格ミステリは、あまり多くないのかもしれない。

「雲をつかむ死」（クリスティー文庫）の紀《き》田《だ》順《じゅん》一郎《いちろう》の「解説」によ

ると、パリ—クロイドン間には一九一九年から定期航空便があったようだが、クリスティーが本作を書いた当時（一九三五頃）、21人乗りの〝超大型〟旅客機は運航していなかったらしい。同じ年の12月に米英大陸間にやっと21人乗りの飛行機が実現したようで、その時の機種が〈米ダグラス社のＤＣ—３機〉だったみたいで、それと〈同じ系統の機種〉を撮影に用いたのが、デビッド・スーシェ主演のＴＶドラマ『雲をつかむ死』（一九九二）ということだ。できれば、第一巻の巻末付録にドラマ『雲をつかむ死』のＤＶＤを付けてもらえるとありがたい。

第二巻も航空機内を舞台にした本格ミステリでＣ・デイリー・キングの「**空のオベリスト**」である。「空のオベリスト」はほとんどの場面が航空機内で展開する本格ミステリであるという点で、かなり稀有な例であるといえよう。「オベリスト」が〈疑問を抱く人〉という意味の作者の造語で、心理学者たちの仮説の提示というところに重点をおいたことによって可能になったのだといえる。この「オベリスト」三部作は、「海のオベリスト」（船）と「鉄路のオベリスト」（鉄道）とで陸海空の交通機関を舞台にしたわけだが、時間の制約という意味では三作目が一番難しかったのかもしれない。

第三巻は、Ｆ・Ｗ・クロフツの「**クロイドン発12時30分**」である。今度はクロイドンからパリへ向かう航空機内での殺人事件を倒叙形式で描いてゆく。本作でも機内の場面は冒頭の一章だけだが、被害者の孫であるローズ・モーリー（10歳の女の子）の視点から、初めて飛行機に乗る子どもの感動と興奮が活写されている。それは当時の人々の、空の体験の記憶を代弁しているようにも思われる。

第四巻は、蒼井雄《あおいゆう》の「**船富家の惨劇**」を収録したい。「船富家の惨劇」は時刻表トリックを用いた鉄道ミステリの嚆矢のように思われているかもしれないが、飛行機も作中では重要な役割をする。名探偵・赤垣滝夫《あかがきたきお》は事件解決のために大連から大阪へ飛行機で帰ってくるし、それ以外にも名古屋の飛行場や大阪の木津川飛行場（大正区）なども出て来る。新聞社の所有する飛行機なども登場する。鉄道の時刻表トリックは多く書かれて定着したが、航空機を用いた時刻表トリックのミステリは、ほとんど書かれなかった。それは結局、運行時刻の正確性というところで、地上と空中とでは大きな差があり続けるということかもしれない。

第五巻は、松本清張《まつもとせいちょう》の「**点と線**」である。こちらもネタバレになってしまうかもしれないが、もはや名作なのでご容赦いただきたい。鉄道ミステリでの飛行機は、当然といえば当然だが鉄道よりも速く移動できる交通機関として用いられる。問題は、当時の読者にとって飛行機が意外な真相の側に属するものとして描かれていることである。昭和32年当時、人々は鉄道の時刻表を駆使することにはすでに長けていても、飛行機はまだそこまで一般的ではなく、すぐには思いつかないものだったのかもしれない。本格ミステリの立つ地平について考える時に、少し示唆する部分があるのではないだろうか。

第六巻は、夏樹静子《なつきしずこ》の「**蒸発**」である。「蒸発」は、新世紀航空の東京発札幌行きのボーイングから一人の女性が消失する。「蒸発」というのは当時の流行語ではあるが、密室状況の航空機からの人間消失というのは、本格ミステリにとって魅力的な命題の一つである。

第七巻は、ルシアン・ネイハムの「**シャドー81**」である。ハイジャック小説の白眉であるが、驚くべきはハイジャック犯が機内にいないことである。その着想の大胆さと犯行計画の緻密さと同時代のベトナム戦争への目配りとが効果的に絡み合った、冒険小説の名作である。旅客機だけでなく戦闘機も出て来るので、航空機マニア必読である。

第八巻は、福本和也《ふくもとかずや》の「**謎の巨人機**」である。日本の航空ミステリを語る上で、昭和期では福本和也を外すことはできない。当時の航空ミステリの第一人者であるし、現役のパイロットをしながらの兼業作家だった。福本作品でどれを録るかということについては、さまざまな意見があるだろうが、本全集では「謎の巨人機」を収録したい。東京国際空港に緊急着陸を要請してきた巨人機《ジャンボ》の機内で、乗客も乗組員も全員死亡していたという魅力的な謎に挑戦している意欲作である。

第九巻は、西村京太郎《にしむらきょうたろう》の「**夜間飛行**《ムーンライト》**殺人事件**」を収録する。西村京太郎が鉄道ミステリに専門化していく前の作品である。羽田発札幌行きの最終便・通称「ムーンライト」に乗り合わせた三組の新婚旅行客が北海道の海岸から消失する。ホワイダニットとして面白い作品であるが、中年の新婚カップルである十津川《とつがわ》警部夫妻の様子も初々しい。むしろ旅行慣れしている直子《なおこ》夫人に比して、不器用な十津川警部が何とも微笑ましいのである。

第十巻はスティーブン・キング「**ランゴリアーズ**」である。ロスアンゼルス発ボストン行のアメリカン・プライド29便から、11人だけ残し乗客がすべて消失する。夏樹静子の「蒸発」同様、航空機からの人間消失は魅力的な謎なのだが、「ランゴリアーズ」は時間SFホラーである。論理的な解決は望めないが、本全集では異色の作品として楽しんでいただけるのではないかと思う。

第十一巻は、石持浅海《いしもちあさみ》の「**月の扉**」を収録したい。これもハイジャックものだが、ハイジャックという特殊な状況下での密室殺人を取り扱った本格ミステリになっているところが面白い。本格ミステリの要素である密閉状況や密室を構成するために、航空機のハイジャックという設定が有効だということを教えてくれた。本格ミステリの論理の美しさとハイジャックもののサスペンスと幻想小説としての不思議さを堪能させてくれる。

第十二巻はミシェル・ビュッシの「**彼女のいない飛行機**」である。トルコのイスタンブール発パリ行きのエール・フランスのエアバス五四〇三便の墜落事故が物語の発端となっている。墜落事故が物語の発端となる話は、時々見られる設定である。ただ、「彼女のいない飛行機」が面白いのは、生き残った人物のアイデンティティを揺るがすファクターに飛行機事故がなってゆくところである。それは横溝正史《よこみぞせいし》作品における「戦争」のようなものなのかもしれない。

第十三巻から第十六巻は飛行機そのものではなくて、乗務員等に注目したミステリ作品を収録する。第十三巻は松本清張の「**黒い福音**」である。昭和34年3月に実際に起こった、国際線スチュワーデス殺人事件に、松本清張が推理と解決を提示した、半ノンフィクションともいえる推理小説である。今以上に花形の職業であったスチュワーデスがカトリック教会の神父によって殺害されたらしいということで、当時もかなりの耳目を集めた事件のようだが、当時のカトリック教会の閉鎖性と日本の国際的立場の弱さを松本清張の推理が告発する名作である。容疑者の神父がまともに取り調べも受けないまま本国に帰国した事実は、外国（西洋）人に対する日本人の憧憬と両者の潜在的不平等を象徴的に表していた。現代の日本人にこそ読んでほしい作品である。

第十四巻は東野圭吾《ひがしのけいご》の「**殺人現場は雲の上**」。今度は被害者ではなく、スチュワーデスが探偵役となる連作短編集である。九〇年代前半のトレンディ・ドラマのようなライトな内容だが、第十三巻が重い内容なだけに少し息抜きをしてもらってもいい。

第十五巻は緒川怜《おがわさとし》「**霧のソレア**」である。爆弾を仕掛けられたジャンボジェットでの女性の副操縦士が活躍する。アメリカや北朝鮮も巻き込んだ国際諜略パニック小説だが、作者は旅客機についても軍用機についてもかなり詳しいようだ。

第十六巻は喜多喜久《きたよしひさ》「**推理は空から舞い降りる　浪速国際空港へようこそ**」にしたい。女性の新米航空管制官の活躍を描く連作短編である。ミステリでありながら青春小説の要素も取り込んでいる。女性の活躍を描いた作品が並んだが、時代の流れといっても間違いではあるまい。

第十七巻から第十九巻は、空港を舞台にしたミステリ作品を収録したい。

第十七巻はもはや名作で、映像作品もたくさん製作されているアーサー・ヘイリーの「**大空港**」の上下巻を一巻にまとめる。できれば巻末に一九七〇年の映画のＤＶＤくらいは附けておきたい。

第十八巻はウォルター・ウェイジャーの「**ケネディ空港着陸不能**」である。日本映画「新幹線大爆破」では速さを誇る新幹線を停められないことでサスペンスを生み出したが、飛行機は着陸できないと大きなサスペンスを生む。

第十九巻はピーター・スワンソンの「**そしてミランダを殺す**」である。〈ミステリ・ランダムウォーク〉の「鉄道とミステリ」でも書いたのだが、鉄道は見知らぬ人々の「邂逅」の場として描かれることもよくあったが、飛行機も同様に見知らぬ人々が乗り合わせる「邂逅」の場である。ただ、飛行機の場合、その待ち時間の加減もあって、空港もまた鉄道の駅以上に「邂逅」の場として機能する。ただし、機内や車内の「邂逅」よりは希薄な「邂逅」でもある。空港は人々が出会うようで出会わない、出会わないようで出会う場であるといえよう。その希薄な「邂逅」が成立した時に、非日常的な殺人計画が実現してゆく。それが「そしてミランダを殺す」である。

第二十巻は短編集である。昭和51年から昭和52年にかけて、KKワールドフォトプレスという出版社から中島河太郎《なかじまかわたろう》編で『航空ミステリー傑作集』というのが全三冊刊行されている。

KKワールドフォトプレスというのは、『mono マガジン』や『コンバットマガジン』などの雑誌を刊行していた出版社だが、関連会社の文林堂というところが『航空ファン』『世界の傑作機』などの雑誌を出していた。

『航空ミステリー傑作集』は、

『恐怖の大空』（昭和51・4）
『戦慄の蒼空』（昭和51・8）
『凶悪の空路』（昭和52・1）

の三冊である。その三冊から旅客機を用いた航空ミステリーのみ選んで、さらにこの三冊に収録されなかった作品も補綴して『飛行機ミステリー全集』の掉尾を飾りたい。

収録作品は以下の通りである。

大庭武年《おおばたけとし》「**旅客機事件**」は飛行機内の密室殺人を扱ったアリバイもの。

酒井嘉七《さかいかしち》「**呪われた航空路**」は航空事故を描く。「**空飛ぶ悪魔—機上から投下された手記—**」の方は旅客機ではなく単座機ではあるが、戦前の作品は少ないので収録しておきたい。

山田風太郎《やまだふうたろう》「**30人の三時間**」は飛行機で故障が起こったという設定で飛行機内の異常事態を描いた作品。

菊村到《きくむらいたる》「**紅の翼**」も、セスナ機ではあるが収録しておく。

大藪春彦《おおやぶはるひこ》「**羽田上空の罠**」は旅客機墜落が題材である。

西村京太郎「**危険なダイヤル**」も飛行機事故を扱った作品。

山村美紗《やまむらみさ》「**孤独な証言**」はエアバス一号機の最初の事故で生き残った人間の証言を扱う。

三好徹《みよしとおる》「**スカイジャック**」と**大岡徹夫《おおおかてつお》**「**消えた最終便**」、**加納一朗《かのういちろう》**「**裏切りの空路**」はハイジャックもの。

赤松光夫《あかまつみつお》「**空賊**」は飛行機を舞台にした身代金要求の事件を

描く。

泡坂妻夫《あわさかつまお》「**DL2号機事件**」は爆破予告を扱う。

海渡英祐《かいとえいすけ》「**偽りの再会**」は珍しく飛行機の時刻表トリックを用いた作品。

福本和也「**寒冷前線**」は空港での殺人事件。

戸川昌子《とがわまさこ》「**黒い餞別**」は飛行機内の殺人事件を扱う。

大岡徹夫はもう一作品、「**赤い軌跡**」が大型ジェット機の審査飛行という、面白い題材を取り上げている。

朝倉圭介《あさくらけいすけ》「**コンコルド**」はコンコルド開発をめぐる謀略を描いた作品。

木村譲二《きむらじょうじ》「**コバルト色の謀略**」は航空会社を経営する男の話。

黒木曜之助《くろきようのすけ》と幾瀬勝彬《いくせかつあき》の合作作品「**晴天乱気流**」は、問題篇を黒木曜之助が書き、解決篇を幾瀬勝彬が書いたジェット機消失事件。

そして、巻末には**野村胡堂《のむらこどう》**「**天保の飛行術**」も入れておきたい。江戸時代の人々の〈空を飛ぶこと〉に対する認識が近代以降の人間の認識と対照的であるので、面白い比較になると考えるからである。

以上、全二十巻が「飛行機ミステリ全集」である。概ね編年体で編んできたのは、飛行機そのものの変化と社会の変容とが、描かれる事件にリンクしているだろうと考えたからである。古い作品から読んでいくことで、人々の飛行機に対する捉え方の変質のようなものも見えてくると面白いのではないだろうか。

巻数は少し多くなってしまったかもしれないが、これだけあれば長時間のフライトにも、退屈な待ち時間にも、充分に対応できるのではないかと思う。もし、可能ならば、旅客機中心の本全集を第一期として、第二期では戦闘機編も編んでみたいとは思うのだが、第二期は冒険小説やスパイ小説が中心になってゆくのかもしれない。

それでは、「飛行機ミステリ全集」をお伴に、快適な空の旅をお楽しみください。

《目録》

※（　）内の西暦年は各作品の初刊の年である。出版社は、二〇二三年現在、比較的、手に入れやすい版の出版元にした。

第一巻　アガサ・クリスティー「雲をつかむ死」
（一九三五、クリスティー文庫）

第二巻　C・デイリー・キング「空のオベリスト」
（一九三五、国書刊行会）

第三巻　F・W・クロフツ「クロイドン発12時30分」
（一九三四、創元推理文庫）

第四巻　蒼井雄「船富家の惨劇」
（一九三六、創元推理文庫『日本探偵小説全集　第12巻』）

第五巻　松本清張「点と線」（一九五七、新潮文庫）
第六巻　夏樹静子「蒸発」（一九七二、光文社文庫）
第七巻　ルシアン・ネイハム「シャドー81」
（一九七五、ハヤカワ文庫ＮＶ）
第八巻　福本和也「謎の巨人機」（一九七五、角川文庫、光文社文庫）
第九巻　西村京太郎「夜間飛行《ムーンライト》殺人事件」
（一九七九、光文社文庫）
第十巻　スティーブン・キング「ランゴリアーズ」
（一九九〇、文春文庫）
第十一巻　石持浅海「月の扉」（二〇〇三、光文社文庫）
第十二巻　ミッシェル・ビュッシ「彼女のいない飛行機」
（二〇一四、集英社文庫）
第十三巻　松本清張「黒い福音」（一九五九、新潮文庫）
第十四巻　東野圭吾「殺人現場は雲の上」（一九八九、光文社文庫）
第十五巻　緒川怜「霧のソレア」（二〇〇八、光文社）
第十六巻　喜多喜久「推理は空から舞い降りる　浪速国際空港へ
ようこそ」（二〇一八、宝島社文庫）
第十七巻　アーサー・ヘイリー「大空港」
（一九六八、ハヤカワ文庫ＮＶ）
第十八巻　ウォルター・ウェイジャー「ケネディ空港着陸不能」
（一九八七、二見文庫）
第十九巻　ピーター・スワンソン「そしてミランダを殺す」
（二〇一五、創元推理文庫）

第二十巻　航空ミステリー傑作集『恐怖の大空』、『戦慄の蒼空』、
『凶悪の空路』など

ベスト本格ミステリ21世紀

円堂都司昭

本格ミステリ作家クラブという集まりがある。小説家や評論家など、本格ミステリというジャンルにたずさわるプロたちが参加する団体だ。いきなり個人的な話をするが、私は、本格ミステリ作家クラブ選・編の年鑑ベスト・アンソロジーにわりと長くかかわっていた。

まず、同アンソロジーについて説明しておこう。これは、クラブの会員から評論家二名、作家一名に作品選考委員を委嘱して年ごとの優れた本格ミステリ短編を選び、講談社から刊行しているもの。二〇〇〇年発表作から選び二〇〇一年に刊行した『本格ミステリ01』が第一弾で最初の十年は『本格ミステリ0X』、二〇一一年からは『ベスト本格ミステリ２０１Ｘ』の書名で刊行された（どちらも最後に西暦の下二桁が入る）。そして『ベスト本格ミステリ２０１８』まではまずノベルス版が出てから文庫化されたが、二〇一九年以降は最初から文庫版で刊行されることになり、タイトルも『本格王２０ＸＸ』とする形式になった。

文芸家団体が選んで編む年鑑ベスト・アンソロジーはほかにもあるが、『本格ミステリ01』から『ベスト本格ミステリ２０１８』までの特徴となっていたのは、内容の大部分は小説だが、評論も一、二編載せていたこと。本格ミステリ作家クラブは小説だけでなく評論も重視する姿勢で始まっており、主催する本格ミステリ大賞に関しても小説部門とともに評論・研究部門を設けている。この点は日本推理作家協会賞のスタンスを受け継いでおり、ミステリ界の伝統といえるかもしれない。本格ミステリ大賞に短編小説部門はないものの、それを補完するような形で年鑑ベスト・アンソロジーが始まり、評論も掲載することになっていたのだ。ありがたいことに『本格ミステリ01』には、私の評論「ＰＯＳシステム上に出現した『Ｊ』」が収録された。

しかし、残念なことに出版市場の低迷に伴ってアンソロジーのスリム化を迫られ、『本格王２０ＸＸ』へのリニューアルとなった。小説の収録作数を絞るとともに、評論の収録はとりやめることになったのである。

さて、私とこのアンソロジーのかかわりだが、『本格ミステリ06』、『同07』、『同08』の三年間は作品選考委員の一人となり、本の解説も執筆した。『子ども狼ゼミナール』（『ベスト本格ミステリ２０１４』の文庫化）でも解説を担当している。

また、『本格ミステリ06』からは本格ミステリ作家クラブの執行会議（役員会みたいなもの）のメンバーとなり、アンソロジー担当を務めた。最初の二年間は前任者の下で動く見習期間のようなもので、本格的に担当したのは三年目からだったと記憶する。具体的になにをしていたかというと、選考対象となる作品の掲載誌を選考委員三名に発送すること、選考の進行役、選ばれた作家への作品収録許諾のとりつけ、版元である講談社とのやりとり、印税配分の確認、執行会議および会員へのアンソロジー関連の報告、ノベルス版の文庫化に伴う事務作業などである（現在は作業内容のいくつかが変更されている）。

『ベスト本格ミステリ２０１４』までのノベルス版はいずれも三年後に文庫化されたが、その際の書名はこのジャンルらしい遊び心によってつけられていた。例えば、『本格ミステリ04』の文庫版は、『深夜バス78回転の問題』と題された。なにがなんだかわからないフレーズである。これは執行会議において、収録作のタイトルに含まれる言葉を組みあわせて書名にしようと、アナグラム的な発想で決めたやりかただ。同書の場合、「Y駅発深夜バス」（青木知己《あおきともみ》）＋「78回転の密室」（芦辺拓《あしべたく》）＋「走る目覚まし時計の問題」（松尾由美《まつおゆみ》）＝『深夜バス78回転の問題』だった。文庫版タイトルについては毎回、会議の話しあいで決定していた。なかでも、私が気に入っているタイトルは、『珍しい物語のつくり方』（『本格ミステリ06』）と『からくり伝言少女』（『ベスト本格ミステリ２０１１』）。もとになった収録作の題は、各人で調べてもらいたい。

だが、ベスト・アンソロジーのリニューアルに伴い、タイトルのつけかたも変更された。『ベスト本格ミステリ２０１５』から『ベスト本格ミステリ２０１８』は、ノベルス版収録作のなかでも特に選考で評価の高かったものを抜き出し、スリム化したうえでの文庫化となった。そうしてできたのが、『ベスト本格ミステリＴＯＰ５短編傑作選００１』から『同００４』までの四冊である。また、先に触れた通り、二〇一九年以降は、最初からノベルス版ではなく文庫版で刊行することになった。このリニューアルでアンソロジーの担当業務に一区切りついたこともあり、私は『本格王２０１９』の制作進行を最後に本格ミステリ作家クラブの執行会議メンバーおよびアンソロジー担当から退任した。この場を借りて、アンソロジー製作に当時協力していただいた方々にはあらためて感謝を申しあげたい。

ふり返れば、本格ミステリ作家クラブが十周年を迎えた二〇一〇年には、通常のアンソロジー製作だけでなく、記念出版の『本格ミステリ大賞全選評２００１‐２０１０』（光文社）の監修と、『ミステリ作家の自分でガイド』（原書房）の進行も担当した。一方、二〇二〇年の二十周年には、作家クラブ会員の評論家たちによる記念ミステリ論集を出せないかと私が提案したのがきっかけで、『本格ミステリの本流　本格ミステリ大賞20年を読み解く』（南雲堂）がまとめられた。

実は、もう一つ夢想していながら実現に至らなかった二十周年記念企画があった。ベスト・アンソロジーの過去の刊行分からさらに選りすぐり、本格ミステリ短編のベスト・オブ・ベストを集成することだ。本格ミステリ作家クラブのアンソロジーは二〇〇一年からスタートしているから、二十一世紀の最初の二十年間のベストである。今回は、その幻の企画に個人的に取り組んでみようと思う。

対象となる二十年間に刊行された年鑑ベスト・アンソロジーに収録された本格短編の数は、親本ベースで合計百九十八作に上る。そこから収録回数の多い順に作家を選び、各人の収録作のなかでも私が優れていると考える作品を抜きだすと次のようになる。

（作家名、収録回数、選んだ作品名、収録したノベルス版、文庫版）

柄刀一《つかとうはじめ》　8回　「光る棺の中の白骨」『本格ミステリ05』
『大きな棺の小さな鍵』

大山誠一郎《おおやませいいちろう》　7回　「佳也子の屋根に雪ふりつむ」『ベスト本格ミステリ2010』『凍れる女神の秘密』

東川篤哉《ひがしがわとくや》　7回　「殺人現場では靴をお脱ぎください」
『本格ミステリ08』『見えない殺人カード』

法月綸太郎《のりづきりんたろう》　6回　「しらみつぶしの時計」『本格ミステリ09』
『空飛ぶモルグ街の研究』

有栖川有栖《ありすがわありす》　6回　「紅雨荘殺人事件」『本格ミステリ01』
『紅い悪夢の夏』

柳広司《やなぎこうじ》　5回　「百万のマルコ」『本格ミステリ03』
『論理学園事件帳』

西澤保彦《にしざわやすひこ》　5回　「腕貫探偵」『本格ミステリ03』
『論理学園事件帳』

鳥飼否宇《とりかいひう》　5回　「死刑囚はなぜ殺される」『ベスト本格ミステリ2012』『探偵の殺される夜』

乾《いぬい》くるみ　5回　「四枚のカード」『本格ミステリ08』
『見えない殺人カード』

以上は、二十一世紀の本格短編における定番、安定のクオリティを求めた時のラインナップといえる。このうち、「佳也子の屋根に雪ふりつむ」所収の『密室蒐集家』、「死刑囚はなぜ殺される」を「魔王シャヴォ・ドルマヤンの密室」に改題し収録した『死と砂時計』は、それぞれ二〇一三年の第一三回、二〇一六年の第一六回の本格ミステリ大賞を受賞している。また、「殺人現場では靴をお脱ぎください」をシリーズ第一話とした『謎解きはディナーのあとで』は二〇一一年に第八回本屋大賞を受賞し、大ヒットとなった。

アンソロジーへの収録回数が多い九作家のうちほとんどは、本格ミステリを主戦場としている。そのなかで、柳広司の選出頻度の高さが目立つ。柳は歴史や文学を題材にすることが多く、『ジョーカー・ゲーム』などスパイ小説でも知られ、必ずしも本格ミステリ作家というイメージは強くない。だが、優れた本格短編をしばしば書いてきたのだ。このことは、あらためて注目していい。

ちなみに、ここに上げた作家たちに次いでベスト・アンソロジーへの収録が多かったのは、松尾由美、霞流一《かすみりゅういち》、芦辺拓、麻耶雄《まやゆ》嵩《たか》、長岡弘《ながおかひろ》樹《き》が横並びで4回である。

　先のラインナップは、定番の作家を並べたという意味で手堅く保守的だといえる。では、これらの作家をあえてはずし、二一世紀になってからのミステリ界の変化がより浮かび上がるように意識したらどうなるか。その時期を象徴する、あるいは、ふり返れば後に広まった作風の道を拓いたと判断できる作品を選ぶ。そうすることが、今後の本格ミステリを予見する助けにもなるのではないか。こうした狙いで私個人が二年ごとに一作ずつ選び、二一世紀はじめの二十年をたどり直して編んだのが、次に掲げるアンソロジーだ。

「ベスト本格ミステリ21世紀」

・北森鴻《きたもりこう》　「邪宗仏」

『本格ミステリ01』『紅い悪夢の夏』

　両腕のない仏像に見立てたように両腕を切りとられた死体をめぐる事件。民俗学者・蓮丈那智シリーズの一冊目『凶笑面』に収録された短編。同作発表時点で作者はデビュー五年目であり、同シリーズをはじめいくつも注目作を放つようになっていた。以後のミステリ界を牽引する存在になると思われたが、二〇一〇年に四十八歳で逝去。残念でならない。

・乙一《おついち》　「GOTH　リストカット事件」

『本格ミステリ03』『論理学園事件帳』

　人間の暗黒面に魅かれる高校生の森野夜と「僕」の登場する連作の一つ。同短編を表題作とする『GOTH　リストカット事件』は、二〇〇三年に第三回本格ミステリ大賞を受賞した。キャラクター造形、作中のリアリティのありかたなど、ライトノベルを通過した感性で書かれた本格ミステリは今では珍しくないが、その先駆け的に注目された作品だった。

・道《みち》尾《お》秀介《しゅうすけ》　「流れ星のつくり方」

『本格ミステリ06』『珍しい物語のつくり方』

　出入り不能状態で起きた殺人事件について語る少年が抱えていたものとは。今では人気も作風も幅広くなった作者だが、初期には本格ミステリ作家のイメージも強かった。ミステリ的な意外性が、登場人物の心理を際立たせる手段になる。そんな創作術が発揮された一編。翌二〇〇七年に道尾は『シャドウ』で第七回本格ミステリ大賞を受賞した。

・米澤《よねざわ》穂《ほ》信《のぶ》　「心あたりのある者は」

『本格ミステリ07』『法廷ジャックの心理学』

　少ない情報から推理するケメルマン「九マイルは遠すぎる」的な内容。学園生活の日常の謎に鋭く悪意を見出す「古典部」シリーズの一作だ。米澤は青春ミステリのほか、社会的テーマを扱ったりファンタジーの設定を導入するなど作風を広げた。二〇二二年には時代ミステリ『黒牢城』で第一六六回直木賞と第二二回本格ミステリ大賞を受賞している。

・三津田《みつだ》信三《しんぞう》「迷家の如き動くもの」

『本格ミステリ09』『空飛ぶモルグ街の研究』

一九八〇年代末からの新本格以降、合理的解決と論理的に解明できない超常現象が同居した作品が増えた。そうしたミステリとホラーの融合を突きつめたのが、三津田の刀城言耶シリーズだ。本作はその一つで、現れたり消えたりする家の謎の話。二〇一〇年には、シリーズの長編『水魑の如き沈むもの』が第一〇回本格ミステリ大賞を受賞した。

・長岡《ながおか》弘樹《ひろき》「オンブタイ」

『ベスト本格ミステリ２０１２』『探偵の殺される夜』

警察小説『教場』のヒットで広く知られた作家であり、二〇〇八年に第六一回日本推理作家協会賞を受賞した「傍聞き」など短編の名手だ。特徴は人としての情と意外性のバランスがよいこと。本格ミステリの観点からも高く評価される短編を発表している。「オンブタイ」の場合、この作者にしては大胆で稚気に満ちたトリックを用いた点が楽しい。

・円《まど》居《い》挽《ばん》「ディテクティブ・ゼミナール 第三問　ウェアダニット・マリオネット」

『ベスト本格ミステリ２０１４』『子ども狼ゼミナール』

水の満ちた密室で人間が死んだ原因を、潜水服のプレイヤーたちが同じ状況で解かねばならないデスゲーム。作者の代表作である「ルヴォワール」シリーズは私的裁判において論理的な解明ばかりでなく弁舌で勝利するという、バトルの図式を強調した内容だった。その種のゲーム性への嗜好が、この短編でも展開されている。

・芦沢《あしざわ》央《よう》「許されようとは思いません」

『ベスト本格ミステリ２０１５』

『ベスト本格ミステリＴＯＰ５　短編傑作選００１』

曾祖父を殺した祖母は村八分にされていた。これもまた、ミステリとしての意外性の演出が、人物の奥底に隠された感情を際立たせる方法になった一作。タイトルの言葉の意味が明かされた瞬間、暗然とした心持ちになる。本作を表題作とした短編集は話題になった。二〇二三年には『夜の道標』で第七六回日本推理作家協会賞を受賞。

・阿津川《あつかわ》辰海《たつみ》「透明人間は密室に潜む」

『ベスト本格ミステリ２０１８』

『ベスト本格ミステリＴＯＰ５　短編傑作選００４』

透明人間になる病が蔓延した世界での殺人事件を扱った話。阿津川は二〇一七年のデビュー作『名探偵は嘘をつかない』でも転生者を登場させていた。非現実的で特殊な設定をルール化して本格ミステリに活かすことも、新本格以降に広まった傾向である。二〇二三年、『阿津川辰海　読書日記　かくしてミステリー作家は語る〈新鋭奮闘編〉』で第二三回本格ミステリ大賞評論・研究部門を受賞。

・結城《ゆうき》真一郎《しんいちろう》　「惨者面談」『本格王２０２０』

家庭教師派遣サービスの営業担当の大学生が、ある母子と噛みあわない会話をすることになったのはなぜか。見知らぬ他人とつながれるシステムの普及という、まだ新しい日常を題材に著者は好短編を連発した。それをまとめたのが本作を含む『＃真相をお話しします』。同書所収の「＃拡散希望」は、二〇二一年の第七四回日本推理作家協会賞の受賞作だ。

アンソロジーを構想することで二一世紀に入ってからの本格ミステリをたどり直すと、いくつかの傾向がみえてくる。

一方には、ジャンルのパターンを伝統芸能的に守るものがある。もう一方では、ライトノベル的なデフォルメしたキャラクターや世界観の受容、ゲーム的な対決図式の強調、特殊設定の導入、合理と非合理の同居、特定の心理のクローズアップを狙いとした非プロパーによるミステリ手法の活用などが、ジャンルの作風を多様化させてきた。

今後の本格ミステリは、そうした成果の先に書かれることになる。

『人面瘡』幻想ミステリ全集

大森滋樹

本格謎解きミステリでも昨今、白井智之《しらいともゆき》『おやすみ人面瘡』(二〇一六)、中山七里《なかやましちり》『人面瘡探偵』(二〇一九)など、ひそかに注目をあびている人面瘡である。身体《からだ》のどこか、皮膚の上にもうひとつの顔があり、それがものを食べ、人語を発し、あたかも「もうひとつの人格」であるかのように振る舞う——だいたいにおいては奇病として扱われる人面瘡を根幹に全集を編集したい。その土俗的、怪異的性格のせいで伝奇ホラー、怪奇小説の文脈で利用されることの多いガジェットである。また、どういうわけか長編小説に向いていないようで、短編での利用が多い。その結果、全集としてはどこかいびつ、アンバランスでまとまりを欠いたものになった。『妄想アンソロジー式ミステリガイド』はそもそも空想上の企画ということで、ご容赦願いたい。

第一巻　「人面瘡」『伽婢子《おとぎぼうこ》』浅井了意《あさいりょうい》
第二巻　「兇賊心なくして自《みずから》積悪を訴《うった》ふ」
『南総里見八犬伝』(第九十七〜九十八回)曲亭馬琴《きょくていばきん》
第三巻　「人面疽」谷崎潤一郎《たにざきじゅんいちろう》
第四巻　「人面瘡物語」田中貢太郎《たなかこうたろう》
第五巻　「柘榴病《ざくろびょう》」瀬下耽《せじもたん》
第六巻　「人面瘡」横溝正史《よこみぞせいし》
第七巻　『おやすみ人面瘡』白井智之
第八巻　『人面瘡探偵』中山七里

マンガには人面瘡、あるいは人面瘡めいたものを描いたものが大量にある。ひとつの身体に複数の顔がついているという絵面は、ヴィジュアル面で衝撃的、扇情的だ。見る者のこころをつかみ、引き寄せるところがあるのだろう。だが、あまりに膨大なのでマンガについてはカットした。手塚治虫《てづかおさむ》の『ブラック・ジャック』に「人面瘡」という傑作があるが、同様の理由で取り上げない。

また、タイトルを見て一目瞭然だが、表題に「人面瘡」と謳《うた》っているのがほとんどである。これは人面瘡ジャンルのひとつの特徴ともいえる。ラストのサプライズで人面瘡が暴かれる作品についてはむしろ、人面瘡という言葉はタイトルから排除されるのだ。当然の配慮だろう。したがって岩井志麻子《いわいしまこ》の某作品(ネタバレになるので、タイトルは伏す)も「人面瘡」ものだが、この全集からはあえて洩《も》らした。

浅井了意の『伽婢子』(一六六六)は中国の『剪燈新話《せんとうしんわ》』や朝鮮の『金鰲新話《クモシナ》』などから話を集めた全十三巻の翻案小説集である。巻之九に収録された「人面瘡」は、わが国に紹介されたかなり初期の作例ではないだろうか。

山城《やましろ》の国の農民が原因不明の高熱に苦しむ。やがて、左の股に瘡《かさ》が生じるが、皮膚の切れ目がまるで目や口のようで「顔」に見える。酒を飲ませると飲み、餅や飯も食べる。この人面瘡が何かを食べているときは痛まないが、そうでないときは激しく痛む。身体の衰弱もはなはだしく、医者に診《み》せるが効果はない。いったいどうすれば治療できるのか……。以上が話の内容である。ここでは珍しい病気――奇病、怪病として紹介しているだけだ。日本「人面瘡」史におけるプロローグといった趣である。

ところが、『八犬伝』（一八四二）になると、ずいぶん趣向が変わってくる。実は、馬琴はここで「人面瘡」をはっきり登場させているわけでない。その存在を暗示しているだけだ。しかし、利用の仕方は現代の人面瘡に近い。宿主とは別の意思をもっているのだ。

館山城に拠《よ》った蟇田素藤《ひきたもとふじ》・化け尼明椿《みょうちん》と犬江親兵衛《いぬえしんべえ》の死闘は『八犬伝』後半の山場のひとつだ。馬琴はまず、この蟇田の父親、但鳥跖六業因《ただとりせきろくなりより》が京の祇園祭《ぎおんまつり》で捕《と》り方《かた》に召し取られる挿話からはじめる。但鳥跖六は近江《おうみ》の盗賊の残忍な首領だ。妊婦を捕えてはその腹を裂き、胎児を取り上げ炙《あぶ》って食うという非道をくり返していた。ある日、都の祇園会を見物したくなり町人に扮装し、人ごみにまぎれこむ。すると彼の意思とはまったく関係なく、腹部から声が発せられる。その声は今までの数々の悪逆非道を告発し、究明する内容だ。周囲は騒然となる。たまたま警戒に当たっていた捕り方によって、跖六は急遽《きゅうきょ》、捕縛される。

馬琴は当初、この謎の声を「応声虫《おうせいちゅう》」で説明するが、すぐに否定する。応声虫なら、宿主の発声に反応して声を出すはず。しかし、跖六の腹の声は勝手に発言しているからだ。その後、古代中国の烏滸《おこ》の国では生まれた子どもをすぐに食すという奇習に触れ、「わが国の村落辺鄙《そんらくへんぴ》でも、好んでわが子を間引き、食す習慣がある」という。そのような愚夫愚婦の膝には「人面瘡を生じて、声高やかに不慈惨毒《ふじしんどく》を、罵《ののし》るべき」はずなのだが、実際にはそんなことがないので、子どもらは殺され放題だ、と解説する。遠回しに跖六の声は人面瘡によるものだと示唆しているように読めるのだ。

フィクションにおける人面瘡を考えるとき、この挿話は重要である。ここには「罪に対する罰としての人面瘡」という概念が浮上しているからだ。古来、刑罰における皮膚表象は「黥《げい》」――刺青（しせい／いれずみ）であった。岩波新日本古典文学大系『伽婢子』の校注者のひとり、松田修《まつだおさむ》の『刺青・性・死――逆光の日本美』（一九七二）によると、刺青の役割を次の三点に要約できそうだ。

まず、刑罰。刺青を彫《ほ》られる者にとっては受動的なものである。できることなら拒絶したい。次に暴露や露見。これは悪についての自己顕示でもあり、正義についての自己暴露でもある。被刺青者が自ら積極的に彫り物を披露する。最後が心中立て。愛する者の名前を皮膚の上に彫りこむ。これは隠され、人目にさらすものではなかった。

中国『水滸伝』の流行で、九紋龍《くもんりゅう》史進《ししん》の刺青は江戸期の博徒《ばくと》無頼《ぶらい》の花形ファッションであったろう。龍、麒麟《きりん》、悪鬼羅刹《あっきらせつ》といった空想上の存在であれ、百八人の豪傑であれ、そこには「顔」がある。肌の無垢《むく》性を犠牲にし、痛みを代償にして手に入れたもうひとつの「顔」。これが人面瘡という怪異と交錯したのではあるまいか。

したがって但鳥跖六の腹の声に、武家娘に扮装したが正体が露見しそうになり、自ら肩の刺青を誇示する弁天小僧菊之助《べんてんこぞうきくのすけ》の「知らざあ言って聞かせやしょう!」の台詞を聞くような気がするのである(跖六本人の意思に反しているとはいえ)。

「刺青《しせい》」といえば、谷崎潤一郎のデビュー作であった。そうした観点からも谷崎の「人面疽」(一九一八)は興味深い。「キクコ」の役名(菊之助ではない)で女スパイを演じ、アメリカの映画に主演した美貌の女優、歌川百合枝。彼女が主人公を演じている奇怪な映画――タイトルは「執念」――が話題になっているという。内容は次のとおり。菖蒲太夫《あやめだゆう》に恋い焦がれた青年の乞食がだまされ、遊郭からの彼女の盗み出しに利用される。だが、あざむかれたことに気づき、憤った青年は「私の醜い俤《おもかげ》は、花魁《おいらん》の肉の中に食い入って、一生お傍に付き纏《まと》って居るでしょう」と恨みを述べ、入水自殺。脱出にまんまと成功した菖蒲太夫の身体には、その後、青年の顔によく似た腫物《はれもの》がよっつ、生じてくる。彼女の人生はそれから暗転しはじめ……。さらに、この映画を観た者たちも精神に異常をきたし、また原因不明の熱病にかかり……。

まず菖蒲太夫の方には、青年をあざむいた罪に対する罰という、刑罰的性格の人面瘡が生じる。さらに刺青のみっつ目の役割、心中立てを連想させる点もある。しかし、この心中立ては、自ら身体に彫るものではない。意中の異性を誘拐、監禁、拘束し、その肌にむりやり自分の名前を刺青するような強引な支配欲の産物である。

支配と被支配の関係が刺青・人面瘡には存在するのだ。愛の証として好きな相手の名前を刺青するのは、そもそも「家畜の焼き印=自分はあなたのもの」という誓約であろう。古代の司法が罪人に「黥」を彫りこんだのも、前科者が司法行政の支配下・管理下にあることの宣言に他なるまい。犯罪、悪、司法はテリトリー時空間の争奪戦だが、その視覚的身体表象が刺青・人面瘡だといえる。

田中貢太郎の「人面瘡物語」(一九三四)も、刑罰、心中立ての強要としての人面瘡の物語だった。

さて、アメリカのE・L・ホワイトの某作品(ネタバレ回避のためタイトルを伏す)では、アフリカを探検する英国人が土地の呪術師を倒す。だが、彼の身体には現地人の顔をもつ人面瘡がいくつも生じはじめる。この物語設定の背景に、文明に対する未開の復讐を見て取ることはたやすい。さらにいえば、植民地帝国主義という支配・被支配の関係がここでも、人面瘡の物語を召喚しているともいえる。

瀬下耽「柘榴病」（一九二七）は、太平洋の孤島での奇病蔓延《まんえん》の怪異譚《たん》である。島は海賊の本拠地らしく、一定の間隔を置いて財宝を満載した船が寄港する。住民は盗賊たちである。しかしそこに、人面に似た腫瘍《しゅよう》を生じる柘榴病が爆発的に感染しはじめる。島唯一の医者であるフェデロは、患者の治療に専念する一方で、住民たちから財宝を巻き上げるために感染を拡大させる。彼は愛する妻とふたりきり、巨万の富を築くのだが、病魔はやがて……。この物語にも刑罰・心中立ての趣向があらわれていると確認できるだろう。また、中央から離れた辺境で、支配と被支配のせめぎ合いが人面瘡を生み出すという趣向がホワイトの某作品を連想させもする。

横溝正史「人面瘡」（一九六〇）の舞台は岡山の温泉宿である。夜中、夢中遊行している若い女性を見かけた金田一耕介《きんだいちこうすけ》は、磯川《いそかわ》警部とともに事件に巻き込まれる。宿の女中の由紀子《ゆきこ》が、稚児《ちご》が淵《ふち》に水死体となって浮かんだ。姉の松代《まつよ》は「由紀ちゃんを二回殺したのはわたしだ。由紀ちゃんの呪いは以前から、脇の下にあらわれて、わたしを責めさいなんでいる」という遺書を残し、自殺をはかる（未遂に終わる）。その松代こそ、金田一が目撃した夢遊病の女だった。松代の脇の下にはたしかに、人面瘡らしき顔が浮き出ていた……。

ようやく本格謎解きミステリの登場である。横溝らしく、怪異はあくまで雰囲気づくりのようだ。罪にたいする罰としての人面瘡めいているが、これに金田一がどう合理的な説明を下すか、関心を寄せて読んでみてほしい。

昭和の高度経済成長から平成にかけ、テレビやアニメ、マンガの圧倒的な普及、蔓延のせいか、人面瘡（的なもの）は（活字の）物語から消えたようであった。まったくなくなったわけではないが、目立たなくなった。前述したとおり、きわめてヴィジュアル的な怪異なのである。それが、平成も終わろうかというタイミングで、白井智之によって取り上げられた。

『おやすみ人面瘡』というタイトルだが、「久しぶり、人面瘡」「また会ったね、人面瘡」である。いったい、なぜ、二〇一六年に……。

人面瘡はいまや決して都会的な怪異ではない。この怪異を都市に設定するためには時代を過去（江戸時代とか）に移す必要があった。または地方や辺境だ。横溝の「岡山」や中山七里『人面瘡探偵』のような長野の山奥（横溝的な世界観の事件である。後述する）。だが、都市の中心にも異端を許容する辺境が存在する。歓楽街である。『おやすみ』の背景は次のとおり。

宮城県仙台市の歓楽街の風俗店、「こぶとり姉さん」にはふたつの「顔」がある。表は豊満な女性が性サービスを提供する「ぽっちゃり風俗」、裏は人瘤病《じんりゅうびょう》感染患者の女性を売りにする、マニア向け性風俗店だ。人瘤病とは、十七年前に日本に上陸し、二十万人の爆発的な感染規模を記録した奇病である。十センチほどの人面瘡が身体のあちこちにでき、症状が重い場合は赤ん坊程度の知能しか維持できず、廃人となる。われわれの現代日本とは別の世界線の「もうひとつの現代日本」が舞台なのだ。だがどうも、現代日本の東北の惨禍を連想させるところもある。

十七年前、宮城県海晴《みはる》市でミヤケという研究者が人瘤病ウィルスのバイオテロ事件を起こした（これがどうやら一九八九年らしいので、作中時間はおおむね二〇〇六年らしい）。感染地区は道路が封鎖され、陸の孤島となった。化学防護服を着た疫病予防要員が捜査や隔離を行い、一帯はB級パニック映画さながらだったという。住民の半数は自主的に市外に避難し、差別やいじめがあったらしい。海晴市は人瘤病と徹底的に戦い、十年前、その撲滅に成功したと宣言した。ところが、それは表向きで、いまだに感染者が出つづけているようなのだ——とくれば、われわれの世界線の東日本大震災、福島の原子力発電所爆発事故、放射能汚染、増えつづける「水」・「土」のフレコンバッグを連想するのはたやすい。東北の地面にフレコンバッグがぼこぼこ増えていく状況が、人間の肌の上に人面瘡が増殖していく怪異に置き換えられているのだ。

もちろん、白井はそんな社会批評や文明批判など、どこ吹く風である。だが、中央と地方の支配・被支配関係に人面瘡を重ねて考えると、物語の設定や背景に別の光を当てられる。白井の作風ではあるが、『おやすみ』でも人間性を疑うような暴力・暴言、良識を逆なでするキャラクター・展開、不快でむかつくトリック・ガジェットが満載だ。そこに妙なリアリティをかんじるとしたら、その現実感は人面瘡がこの時代に復活した理由——グロテスクな理由にこそあるのだろう。

あらすじを紹介しよう。「こぶとり姉さん」で働くカブという従業員のパートと、海晴市の中学校に通うサラのパートが交互に描かれる。前者では、海晴市にはもういなくなったはずの人瘤病患者をひそかに風俗店が買い取り、予想外のトラブルに巻き込まれていく。後者では、やはりひそかに存在した人瘤病の感染者の女子中学生が、かくまわれていた公営墓地の管理棟で殺害される。同居していた管理人の男も殺されており、殺人事件となる。このふたつのパートがやがて交わり、ある人物の人面瘡が探偵となって、推理を披露しはじめるのだ。ここでようやく、『八犬伝』の但鳥跖六の伝統が復活したのである。

犯罪の真相を暴く人面瘡は、その後、中山七里の『人面瘡探偵』に継承された。

相続鑑定士の三津木六兵《みつぎろっぺい》は、信州随一の山林王といわれた本城《ほんじょう》一族の相続鑑定のため、山と田んぼしかない長野県の奥地へ出向いた。木材需要は高度経済成長期にピークをむかえ、その後は急落した。

本城グループの資産はみるみる目減りし、往時のおもかげがない。負債総額もそうとうなもので、相続放棄の可能性もあった。しかし、相続人たちはそれぞれの思惑から、三津木の遺産鑑定に期待をかける。すると、所有していた山林の地下にモリブデンが埋蔵されているという調査結果がもたらされた。ハイブリッドカーやロケットの電子基板、携帯端末の液晶パネルなどに利用されるモリブデンは国内にほとんど存在せず、多くを輸入に頼っている。期待される以上の鉱床が存在すれば、新たな事業を起こすことも夢ではない。二束三文の山林が急に宝の山に変貌したのだ。

だが、悲劇はこの直後に起こる。一族の長男である本城武一郎《たけいちろう》が妻とともに、火をかけられた蔵の中から焼死体で発見されたのだ。事態は連続殺人の様相を帯び、三津木六兵は素人探偵のまねごとをしながら、遺産相続連続殺人事件に巻き込まれていく……。

信州の山林王、強欲で好色な相続人、人権感覚の希薄な村落共同体、因習と迷信、奇怪な連続殺人——横溝テイスト満載なこの物語には、人面瘡がよく似合う。タイトル通り、三津木の肩に生じた人面瘡が探偵役だ。彼が五歳のころ、ケガをした右肩が盛大に腫れ上がり、瘡が生じたところ、その傷口がしゃべりだしたのだという。三津木少年は最初、仰天したが、「ジンさん」と名前をつけて親しくなる。適応力がすごい。ふつうは発狂しそうである。

この「ジンさん」がホームズ役、三津木がワトソン役となり、コンビで事件の真相に迫るのだ。人面瘡＝刺青の連想から考えると、「ジンさん」ではなく「(名奉行遠山の)キンさん」ではないか、と勘ぐってしまう。

展開が進むにつれ、因習にみちた田舎の閉鎖性、人権蹂躙《じゅうりん》、男尊女卑、悪逆非道、グロテスクな内幕などが明らかになる。ただ、他の人面瘡ものにくらべると、「ジンさん」の人柄(?)がカラッとして明るく、どこかユーモラスなところがある。三津木のボケ具合もそうとうなもので、「どちらが支配生命体か」という疑問も湧く。これが遺産相続ミステリに妙にフィットする。

分け前をめぐって争う一族の相続者たちというのは、ひとつの身体に生じた無数の「顔」のようなのだ。グループ企業の総帥は誰がふさわしいか、をめぐる後継者争いだから、なおさらである。本城グループ(手足・身体)の「顔」は誰か、という物語だ。

三津木は最後に、肩の「桜吹雪」の刺青——ではなく、人面瘡をある人物に暴露するのだが、そこで思いも寄らぬことが起こる。それはちょっとした怪異なのだが、いわぬが「花」であろう。

鉄道ミステリー選集（二巻本）

佳多山大地

1

緊急事態宣言下のゴールデンウィークに、この原稿を書いている。

いよいよ新型コロナウイルスの世界的大流行《パンデミック》の波が日本にも押し寄せてきて、都市部に暮らす人間はおいそれと帰省もできなくなっている。憲法記念日に、憲法と関係ない用事で大阪の梅田《キタ》に自転車で向かう途中、いつもくぐる新幹線高架の下で、思わずペダルを漕ぐ足が止まった。車内はガラガラなのだろう新幹線の走行音が、わずかに軽く聞こえたからだ。

もしも今年（二〇二〇年）五月現在、「小説推理」誌上で《トラベル・ミステリー探訪》を連載中だったら、と考えるとぞっとする。名作トラベル・ミステリーの事件現場を、作中の名探偵よろしく鉄道旅行し、そのうえで内容を紹介・分析する——そんなコンセプトで四年前に始めた連載は、当初の予定どおり足掛け四年（二〇一六年一月号から一九年三月号までの奇数月号）で無事完結し、昨年九月に『トラベル・ミステリー聖地巡礼』のタイトルで一冊（双葉文庫オリジナル）にまとまった。と、これは臆面もなく自著宣伝《コマーシャル》ですが、ともかく旅行記半分ブックガイド半分の異色の連載は、各回フィーチャーする名作の舞台に実際に足を運ばなくては話にならない。それゆえ、旅行をすることイコールわが身を危険にさらす——いや、大阪に暮らすわが身こそ地方を訪ねては迷惑行為と断じられる現況、もし連載が続いている最中なら一旦お休みする判断は避けられなかっただろう。

——さて、件《くだん》の《トラベル・ミステリー探訪》を連載中、「小説推理」のA編集長から別口で頼まれたことがあった。あれは二年前、二〇一八年五月に催された日本推理作家協会賞パーティーの折から、「鉄道ミステリーのアンソロジー刊行を考えているんです。ついては、収録作を絞り込んでもらえませんか」と。

もちろんこれは、願ってもない嬉しい話。大学時代からずっとノートに付けている読書録の記述と、読書録を付けるようになる以前の記憶とを頼りに、勝手に二巻本に拡張した左のアンソロジー企画を勇んで立てたのだった。なお、四百字詰め原稿用紙換算の枚数は、あくまで手もとで弾き出した大体の数字である。

【上巻『旧国鉄時代名作選』：約五百九十五枚】

横溝正史《よこみぞせいし》「探偵小説」：約七十五枚
鮎川哲也《あゆかわてつや》「早春に死す」：約七十五枚
島田一男《しまだかずお》「湖西の女郎蜘蛛」：約百五枚
西村京太郎《にしむらきょうたろう》「『雷鳥九号』殺人事件」：約二百枚
夏樹静子《なつきしずこ》「特急夕月」：約五十枚
山村美紗《やまむらみさ》「新幹線ジャック」：約九十枚

【下巻『ＪＲ新時代傑作選』：約五百四十五枚】

島田荘司《しまだそうじ》　「ある騎士の物語」：約百枚
法月綸太郎《のりづきりんたろう》　「背信の交点《シザーズ・クロッシング》」：約百五枚
小貫風樹《おぬきかざき》　「とむらい鉄道」：約八十五枚
蘇部健一《そぶけんいち》　「丸ノ内線七十秒の壁」：約四十五枚
古野《ふるの》まほろ　「外田《そとだ》警部、カシオペアに乗る」：約百二十五枚
大倉崇裕《おおくらたかひろ》　「東京駅発６時00分　のぞみ１号博多行き」：約八十五枚

正直言って、こういうアンソロジー企画が本当に形になるかはビミョーである。事実、A編集長に企画書を投げてから一年と十ヶ月、塩漬けになっている。まあ、最初から案は案だと割り切っていたので、上下巻に分けて選抜したラインナップを読みとおしてみたわけじゃあない。だから今回、大阪から遠方に出かけるのがはばかられるゴールデンウィーク中に、ようやっと二巻分の〝紙上旅行〟を自分も初めて楽しんでみるのだ。

2

まずは上巻**『旧国鉄時代名作選』**をひもとこう。旧国鉄時代とは、いかにもざっくりしているが、この上巻には終戦後から一九八七年四月の国鉄民営化までの約四十年間に発表された名作を並べている。当然、私鉄や架空の鉄道を扱った作品も選抜対象だったが、読み返してみるとたまたま六作とも国鉄路線が舞台であった。

横溝正史「探偵小説」の初出は、「新青年」一九四六年十月号。僕は創元推理文庫の『日本探偵小説全集9　横溝正史集』（一九八六年）で初めて読んだ。発表は終戦の翌年だが、作中の事件は「かれこれ十年もまえ」に起きたことで、まだスキーや温泉といったレジャーを楽しめた「戦争前」が背景をなす。東北のN温泉を騒がせていた女学生殺しの真相に、探偵小説家の里見先生が〝妄想混じりの推理〟で迫る舞台は東北本線のN駅プラットホームの待合室。このN駅がどこかは特定できないが、もし「N」が「K」でさえあってくれれば金田一《きんたいち》駅（現在はＩＧＲいわて銀河鉄道の金田一温泉駅）がぴったり合う気がする。もしや横溝の手書きの「K」を文選工が「N」で拾ってしまった可能性はないかしら？

鮎川哲也「早春に死す」の初出は、「宝石」一九五八年二月号。この作品と出合ったのは光文社文庫の『時間の檻』（一九八七年）だった。現在は創元推理文庫の『五つの時計』（一九九九年、北村薫《きたむらかおる》編）で読むことができる。東京駅からほど近いビル工事現場で、若い男の死体が無惨に転がっていた。被害者とは恋のライバル関係にあり、事件後に行方をくらませていた証券マンの身柄をついに捜査陣は押

さえるが、容疑者の彼には恐ろしく鉄壁のアリバイがあって……。通勤電車の車内で文字を書くと、どうしたって震えがち。その震え具合を〝蟻の一穴〟に事件の構図を見破る鬼貫警部に脱帽。

島田一男「湖西の女郎蜘蛛」は、鉄道公安官・海堂《かいどう》次《じ》郎《ろう》物の短篇集『黒い時刻表』（一九七七年、東京文芸社刊）所収。僕は春陽文庫版（一九八〇年七月刊）と徳間文庫版（一九八二年十月刊）を持っているが初出誌の記載《データ》はなく、いずれ初刊単行本をチェックしなくてはいけない。新幹線時代の本格的な到来から生まれた〝払い戻し詐欺〟を描いているのだが、この悪質な手口はSNS時代の現在においてこそ真に警戒すべきだろう。それにしても、二次文庫が出るタイミングの驚くべき早さから当時の人気のほどが窺い知れる。

西村京太郎「『雷鳥九号』殺人事件」の初出は、「別冊小説宝石」一九八二年初夏号（五月刊）。十《と》津川《つがわ》警部物の中短篇集『雷鳥九号《サスペンス・トレイン》殺人事件』（一九八三年）所収。大阪発金沢行の下り雷鳥車内で射殺事件が発生し、復讐という動機と状況証拠から犯人であることは疑いない女性が浮上する。しかし彼女は、警察の厳しい追及に対し、黙秘を貫いて……。西村のストーリーテリングが冴えを見せる逸品で、法廷物としての魅力も横溢している。金沢市内の空き家にて、同じ拳銃で撃たれたもう一人の被害者の死亡推定時刻を、法廷に呼ばれた外科医がこんなにも限定するはずはない（死後一ヶ月も経っているのに「ほぼ三月十二日の午前九時から十時の間です」と証言する）けれど、これはひとえに十津川警部を苦しめるため必要だと認めたい。

夏樹静子「特急夕月」の初出は、「別冊小説宝石」一九七五年爽秋号（九月刊）。多種多様な乗り物を舞台にしたノンシリーズ短篇集『77便に何が起きたか』（一九七七年）所収。現在、中公文庫版（二〇一八年）が流通している。万全のアリバイ工作を弄し、二代目社長を毒殺すべく岡山発延岡行の特急夕月に乗り込んだ秘書課長。そりが合わない二人の対決劇は、予想外の踏切事故の発生で二転三転することに……。四月に山陽新幹線が博多まで延伸した年に発表されたこの短篇は、当時の山陽本線の夜間がたいへんな寝台列車ラッシュで、まさにブルートレイン・ブーム前夜だった時代を反映している。作者の夏樹が単行本の「あとがき」に記しているとおり、「私が意識してコミックなタッチを試みた、おそらく最初の作品」である点も貴重。

山村美紗「新幹線ジャック」の初出は、「月刊小説」一九七八年一月号。ノンシリーズ短篇集『幻の指定席』（一九七八年）所収。新大阪発の上り新幹線ひかり24号が「青い牙」と名乗る武装グループに乗っ取られてしまった。人数も定かでない犯人たちは、巨額の身代金と赤軍兵士の釈放を日本政府に要求してきて……。サスペンス満点のレールジャック物で、山村の代表的短篇のひとつと言っていい有名作。であるにもかかわらず、作中で武装グループが新幹線ひかり24号を一時停止させる「長良川鉄橋」は実際の地理的関係から木曽川橋梁でないとおかしい（あるいは、ひかり24号に並んで停車し、情報を収集する下り新幹線１５９号が次に止まるのは岐阜羽島駅ではなく米原駅でないとおかしい）ことを、僕の知るかぎり誰も指摘していない。

　ふう、と満足からの溜め息。いいね上巻、芳醇《メロウ》だなあ。この勢いで、引き続き下巻『ＪＲ新時代傑作選』を読んでみよう。こちら下巻は国鉄がＪＲに分割民営化されて以降、約三十年の間に発表された鉄道ミステリーの傑作（舞台はＪＲ路線にかぎらない）を並べている。なお、上巻と同様、必ずしも発表の早いもの順ではない。それにしても、ＪＲの発足といわゆる新本格ムーブメントの勃興（綾辻行人のデビュー）は同じ一九八七年の出来事だった。

島田荘司「ある騎士の物語」には、上巻と下巻をつなぐ役割も担ってもらう。初出は「小説宝石」一九八九年七・九月号。御手洗潔《みたらいきよし》物の第二短篇集『御手洗潔のダンス』（一九九二年）所収。作中の現在は昭和の時代が終わって間もない一九八九年二月だが、名探偵が取り組む未解決事件は一九七四年の国鉄時代に起こっている。その主要舞台は、前年に開通したばかりの武蔵野線である。傷ついた〝姫君〟を救うため、忠実な〝騎士〟が命懸けで実行したアリバイ工作はどんなものだったのか？　青春ミステリーとしても味わい深い逸品である。

法月綸太郎「背信の交点」の初出は、「ＩＮ★ＰＯＣＫＥＴ」一九九六年十月号。作者と同姓同名の名探偵が活躍する第二短篇集『法月綸太郎の新冒険』（一九九九年）所収。不倫カップルが、奇妙な方法で心中を遂げた。二人は別々の特急列車（男は南小谷《みなみおたり》発あずさ68号、女は名古屋発しなの23号）に乗り、篠ノ井線の松本駅で窓越しに見つめ合いながら同じ毒を呷ったようで……。作者の法月自身、「これは会心作である」と公言する好篇。かねがね、この心中事件の黒幕たる〈演出家〉の印象が、有栖川有栖《ありすがわありす》の大作『双頭の悪魔』（一九九二年）の真犯人と重なって見える。

小貫風樹「とむらい鉄道」の初出は、鮎川哲也監修・二階堂黎人《にかいどうれいと》編のアマチュア公募短篇集『新・本格推理03　りら荘の相続人』（二〇〇三年）。赤字続きのローカル線ばかり標的にする悪辣な爆弾魔を、謎めく探偵役が怜悧なロジックで追いつめる。作者の小貫は《新・本格推理》第三回原稿募集に三つの作品を投じ、すべて採用された逸材。本格ミステリーファンの期待は大いに高まったが、なぜかその後は沈黙を守っている。粗削りなぶん、異様な迫力に満ちた一篇だ。

蘇部健一「丸ノ内線七十秒の壁」の初出は、第三回メフィスト賞を受賞したデビュー作『六枚のとんかつ』（一九九七年）。発表当時、新本格ムーブメントの〝理論的支柱〟であった笠井潔《かさいきよし》に「これはたんなるゴミである」と酷評された同作（通称『六とん』）は、令和の世に至ってもメフィスト賞史上最大級の問題作であり続ける。「丸ノ内線七十秒の壁」は、極めて短時間のアリバイ・トリックが二種詰め込まれていて、『六とん』のなかでは屈指の作と認めたい。が、今回再読して、蘇部の個性が充分発揮されているとは言いがたいと感じた。それは変な話、あまりにも出来がまともだからだ。ああ、四国は愛媛県にルーツがある僕は、『六とん』から断腸の思いで「しおかぜ⑰号四十九分の壁」を採るほうに気持ちが傾いている。こんなに四国を愚弄した蘇部健一が憎いけれども。

古野まほろ「外田警部、カシオペアに乗る」の初出は、「ジャーロ」44号（二〇一二年四月刊）。いわゆる倒叙物の短篇集『外田警部、カシオペアに乗る』（二〇一三年）の巻頭表題作。ロサンゼルス警察のコロンボ刑事から薫陶を受けたらしい外田警部が、上野発の寝台特急カシオペアのシャワールームで発生した刺殺事件の解決に乗り出す。被害者の男と犯人の「私」との関係性を、カップアイスのごみから推理するところなどじつに鮮やかだ。伊予弁のなまりがキュートな探偵役の、とぼけたキャラクターも癖になる。

大倉崇裕「東京駅発6時00分　のぞみ1号博多行き」の初出は、「ミステリーズ！」87号（二〇一八年二月刊）。ポーカーフェイスの女性刑事、福家《ふくいえ》警部補が名推理をひらめかす倒叙本格シリーズ第五弾『福家警部補の考察』（二〇一八年）所収。夜明け前に東京湾岸で二人の男を射殺した犯人は、朝一番の下り新幹線で京都に向かおうとしている。犯人と、その隣の席に敢えて坐った福家警部補との息詰まる頭脳戦が見ものだ。凶器の拳銃の在り処を推理し、最後に京都駅で大胆な罠を仕掛ける女コロンボに拍手！

――ふう、とまた満足からの溜め息。上巻の収録作に比べてまだ歴史の審判に長く耐えていないけれど、変化に富んだこの下巻もすごく調子《リズム》がいい。上巻の「新幹線ジャック」と下巻の大倉作品は幕切れの余韻が後をひくもので、それぞれ掉尾を飾るにふさわしいと思う。わが編集物ながら、事前の予想以上に楽しい紙上旅行だったなあ。

3

それにしても、巡り合わせというほかない。探偵小説研究会内部のとある事情から執筆順が一号分（「ジャーロ」は季刊誌なので三ヶ月間）早くなり、そのため新型コロナウイルス禍の最初の波が押し寄せるさなか、この原稿を書くことになった。じつは別に考えていたことがあって、それは〈野球ミステリー全集〉の企画案だったのだけれど準備不足は否めず。そこで、塩漬けになっていた鉄道ミステリーのアンソロジー案を〝横流し〟した格好だ。

――しかし、巡り合わせというほかない。もうすっかりお蔵入りした企画だと思ったから横流しを決めたのに、このゴールデンウィーク突入間際、「小説推理」のA編集長から不意に事態が動き出したと連絡が来たのですよ。詳細はまだ言えないけれど、上巻の『旧国鉄時代名作選』がちょっとスリムになった形で、おそらく今年中に刊行の運びとなりそうなのだ。緊急事態宣言が地元大阪を含む七都府県にまず出された四月七日以降、電車に乗るのを完全自粛中である〝乗り鉄〟の僕に舞い込んだ、ほぼ唯一の明るい知らせである。

鉄道旅行は楽しい。良質な鉄道ミステリーをお供にした鉄道旅行は、ますます楽しい。新型コロナウイルス禍が落ち着いてくれれば、今夏は久々に九州を巡りたいと思っている。松浦鉄道と肥薩おれんじ鉄道の、いくつか気になっている駅を訪問しなくっちゃ。

追記

ありがたいことに、双葉文庫から一冊といわず三冊の鉄道ミステリーアンソロジーを出すことができた。鉄道ミステリーの醍醐味をたっぷり味わってもらえるはずなので、興味が湧いた向きはぜひ手に取ってほしい。各巻の収録ラインナップは左のとおり。

『線路上の殺意　鉄道ミステリ傑作選〈昭和国鉄編〉』
二〇二〇年十月刊
鮎川哲也「早春に死す」
西村京太郎「あずさ3号殺人事件」
夏樹静子「特急夕月」
山村美紗「新幹線ジャック」

『悲劇への特急券　鉄道ミステリ傑作選〈昭和国鉄編II〉』
二〇二一年二月刊
横溝正史「探偵小説」
島田一男「鉄道公安官」
井沢元彦《いざわもとひこ》「不運な乗客たち」
島田荘司「ある騎士の物語」

『殺人者を乗せて　鉄道ミステリ傑作選〈昭和国鉄編III〉』
二〇二一年十二月刊
西村京太郎「『雷鳥九号』殺人事件」
宮脇俊三《みやわきしゅんぞう》『殺意の風景』から「隆起海岸の巻［鵜ノ巣断崖］」と「石油コンビナートの巻［徳山］」の二篇
天城一《あまぎはじめ》「準急《皆生《かいけ》》」
森村誠一《もりむらせいいち》「浜名湖東方十五キロの地点」

ミステリの中の『忘れえぬ女《ひと》』名場面傑作集
（クラシック編）

小松史生子

ロシアの画家イワン・クラムスコイに「忘れえぬ女《ひと》」（原題は"Неизвестная"または"Незнакомка"一八八三年）という有名な絵がある。雪のサンクトペテルブルクの橋の上で気怠げにこちらに視線を送る、毛皮コートをまとった若い女性を描いた作品だ。「見知らぬ女」という邦訳もあるが、やはり「忘れえぬ女《ひと》」と訳すのが余韻がただよっていい。一説にはトルストイの小説「アンナ・カレーニナ」（一八七七年）に材を取ったとも言われているが、路傍でふと見かけた赤の他人の女性の面差しが何年たっても記憶から消えないという経験を素直に描いた作品と解釈するのが、一番自然だろう。この絵は早くから日本にも紹介されて、国木田独歩《くにきだどっぽ》「忘れえぬ人々」（一八九八年）を名作として愛する日本人の感性に響き合い、愛好されてきた。近年、渋谷 Bunkamura ザ・ミュージアムで開催された「国立トレチャコフ美術館所蔵　ロマンティック・ロシア」展（二〇一八年十一月）の出品作として約十年ぶりに日本で公開され話題となった。今回の『妄想アンソロジー式ミステリガイド』は、このロシアの名画のテーマに倣い、ミステリの中の「忘れえぬ女《ひと》」を彼女達の特徴を示す名場面で特集する。永遠に路傍の人でありながら、妙に思い出の中に残り、記憶に棲《す》み続ける人影――ミステリはそういった「忘れえぬ女《ひと》」達の姿をも描き尽くしてきたジャンルであるのだ。

それでは早速、ミステリにおける「**忘れえぬ女《ひと》**」トップバッターの紹介といこう。のっけから彼女の名場面の抜粋を左記に掲げる。

ベーカー街に帰りつき、戸口でホームズがポケットの鍵をさぐっているとき、通りすがりに声をかけた者がある。
「シャーロック・ホームズさん、こんばんは」
通行人は幾人かあったが、言葉をかけたのは、急ぎ足に遠ざかっていったやせ形に長外套を着た青年だったらしい。
「聞きおぼえのある声だ」ホームズは街燈のほのぐらいなかにじっと瞳を凝らした。「はて、どこのやつだろう？」

（延原謙訳『シャーロック・ホームズの冒険』新潮文庫　一九五三年）

もちろんコナン・ドイル「ボヘミアの醜聞」（一八九一年）の一場面、ホームズに声をかけたのは男装したアイリーン・アドラーである。ミステリ・ファンの間では超有名人である彼女をして路傍の人扱いとはと憤られる方もいらっしゃるかもしれない。が、この作品以降、ドイルはアドラーに再登場の機会を与えなかった。つまり、ホームズの全生涯からしてみれば、アドラーはわずかなひとときすれ違っただけの人生の通行人であるとみなせる。そうした彼女の象徴的な意味合いを端的に示すのが、右記に引用した箇所である。自らの正体を見破られる危険を冒してホームズを尾行し、去り際に粋な挨拶をそっと囁いて消えていく、見知らぬ通行人の姿をとったアドラー。ロンドンの雑踏に消えていく男装の後ろ影は、まさに路傍の人でありながら「忘れえぬ女《ひと》」というテーマである本企画のトップバッターとしてふさわしいといえよう。

さて、異性装によるジェンダー越境の可能性を示すキャラクターはミステリでは古今東西おなじみのものだが、本企画はホームズと対峙するという点に着目して、ここで女装も難なくこなすとされるアルセーヌ・ルパンに連想を飛躍させたい。モーリス・ルブラン「アルセーヌ・ルパンの逮捕」（一九〇五年）で颯爽と登場したこの怪盗紳士は、伊達男で惚れっぽい故に数多くの女性と知り合い、そして百パーセントの確率で離別するので、彼にとっての「忘れえぬ女《ひと》」は星の数ほどいる。が、本企画のテーマに沿う「忘れえぬ女《ひと》」を選ぶとすれば、ここはやはり一九〇九年に発表された長編第一作目「奇岩城」に登場するレイモンド・ド・サン＝ヴェランではなかろうか（次席で「緑の目の令嬢」のコンスタンス・ベークフィールド）。なにせ彼女は、あのルパンを一撃のもとに打ち倒した女性だからだ。往年の南洋一《みなみよういち》郎《ろう》の訳（ポプラ社　一九五八年）で、その名場面を読んでみよう。


かの女は小銃をつかんでバルコニーへかけだして、荒れ庭を見わたした。

「あ、いた。」

月の光の中を男がはしっている。くずれのこった礼拝堂のわきだ。雑草のなかにころがっている円柱や石像をとびこえはねこえて走っている。

レイモンドは小銃を肩にあて、しっかりとねらって引き金をひいた。

銃声が深夜のしずかさの中にとどろいた。男がウサギのようにおどりあがってたおれた。


新訳『**奇岩城**』（ハヤカワ文庫　二〇〇六年）の平岡敦《ひらおかあつし》の訳文では、「ウサギのようにおどりあがって」という表現はないから、ここは例によって南洋一郎節の発露だろう。背中を撃たれたルパンは瀕死の重傷を負う。まだ十代の少女が、なぜにかくもあざやかな射撃の腕を持っているのか。叔父《おじ》や従妹から屈辱的な居候《いそうろう》扱いを受けていたらしい身の上から、自力で自分を護《まも》るほかない孤児の少女の暗いニヒリズムがうかがえるようで興味深い（ポプラ社版では彼女のこの身上は省かれている）。ルパンが惹《ひ》かれたのも、そうした彼女の身上に、居候扱いされた自分の母親と共通の境遇を見出したためとも考えられる。レイモンドは「あのルパンを一発で仕留めた銃の名手」として、「忘れえぬ女《ひと》」である。後にも先にも、弾丸一発でルパンを撃ち倒した女性はレイモンド以外に出てこない（はず）。そんな彼女が最期はホームズの銃で倒される結末も感慨深い。

ところで、明治初期から今日に至るまでルパン・シリーズが日本のカルチャーに甚大な影響を及ぼし続けてきたことを考慮すると、射撃の名手レイモンドの造型は、意外なところにまで波及している可能性がある。たとえば西條八十《さいじょうやそ》の「魔境の二少女」（一九五四年）だ。これは戦後に『少女の友』で連載された少年少女読物でいわゆる魔境探検物だが、この作品に登場するフランス人の少女ニコレットが妙に「奇岩城」のレイモンドを偲ばせる設定となっている。アマゾンの奥地に珍種の蘭を探しにやってきた金持ちの高木徳三《たかぎとくぞう》とその娘小百合《さゆり》は、港で孤児のフランス少女ニコレットを拾い同行する。お約束通りの様々な難関を切り抜けるさなか、このニコレットがたびたび射撃で一行を救うのである。彼女は人食い人種を撃った後で、今度はアナコンダまでをも仕留める。

このとき、すばやいはたらきをしたのが、ニコレットでした。このうつくしいフランス娘は、いそいで舟底にあった猟銃をとりあげると、みんなの気のつかないうちにピタリとねらいをさだめ、ごう然一発、ヤナギの枝の大蛇めがけてうちはなしました。と、湖水いちめんにとどろきわたった大きなこだまといっしょに、弾丸はみごと命中！（中略）徳三も黒獅子も、今さらのように、ニコレットの射撃のうまさに眼をみはりました。

（芦辺拓《あしべたく》編『少年少女奇想ミステリ王国Ⅰ　西條八十集　人喰いバラ 他三篇』戎光祥出版　二〇一八年）

まさに百発百中！　裕福な家族に拾われた孤児の娘がたぐいまれな射撃の腕を見せる設定、しかも金髪に鳶色の眼をしたフランス人の少女。西條八十は戦後に少女を主人公に配した冒険小説を多々発表したが、彼の創作の下敷きにルパン・シリーズの影響がある可能性は、一八九二年生まれで仏文学者である経歴からも推しはかれる。

射撃の上手いフランス女性という流れでいくと、、ここで映画の名場面にも言及してみたい。紹介するのは、トム・クルーズ主演「ミッション：インポッシブル」シリーズの中でも屈指の名作とされる「ゴースト・プロトコル」（二〇一一年）に登場する凄腕の暗殺者サビーヌ・モロー。演じたのはレア・セドゥ。持ち前の権高な美貌を最大限に活用し、冷たく無慈悲な殺し屋を見事に演じた。映画冒頭、追手から逃れたＩＭＦのハナウェイが裏路地へさしかかったところ、前方から単なる通行人として歩いてきたモローがいきなりコートから銃を取り出し彼を撃つ。巷間で指摘されているように、このシーンは名画「スティング」（一九七三年）への卓越したオマージュだが、モローが「忘れえぬ女《ひと》」として白眉なのは、映画中盤の核ミサイル発射暗号の取引シーンだ。トム・クルーズ演じるイーサン・ハントが取引場所である高層ホテルの一室のドアを開けると現れる、およそモデル立ちとは縁遠い、ぬぼーっと立ちつくしているモローの無気味な姿。地味だが、殺し屋の無気味さを端的に匂わせて忘れがたい演技だ。おもむろにハンドバッグの口を開け、両手で石《ダイアモンド》をこすり合わせるようにしてバラバラにバッグの底に落とすというプロフェッショナルな手口にも瞠目させられる。この頭の良い手口には先行例があるのだろうか。寡聞にして当方は知らないが、モローが一流の仕事人であることを一瞬のうちに観客に説明する見事な仕草だ。さらに高層階の窓から蹴り飛ばされて（！）墜落死する最期も驚きである。生死不明とする説もあるが、再登場はない方が「忘れえぬ女《ひと》」として貫徹する気もしないではない。

男に媚びる毒婦型ではなく、モローのように自身の才能で悪を仕事にして生き抜く孤高の女性像は、今日でこそジェンダーの方面から注目されてきているが、女性のミステリ作家で早くからこのタイプを「忘れえぬ女《ひと》」として書いたと思《おぼ》しいのは、**アガサ・クリスティー「ポケットにライ麦を」**（一九五三年）におけるメアリー・ダブかもしれない。「誰？」と思われる読者も多いだろう。というのも、彼女は終始事件の表には出てこないし、かといって事件の黒幕でもないからだ。殺人事件のあったフォテスキュー家の家政婦ダブは、家事万端を有能に取り仕切る若い女性だが、やがて彼女の裏の顔が暴かれる。周知のようにクリスティー作品にはよく有能な若い家政婦が探偵補佐として登場するので、読者は自然にダブに好感を持つのだが、「ポケットにライ麦を」ではクリスティーがそうした自身の作風へのアンチ・パロディを開陳したかのようにも思われる。特筆すべきは、ニール警部と彼女の最後の対話だ。

次の朝だった。ニール警部はふたたびメアリー・ダブの私室を叩いた。

「メアリー・ダブさん。お差しつかえなかったら、五百ポンドの小切手を切ってもらえんでしょうか？　宛名は、パーシヴァル・フォテスキュー夫人として」

メアリー・ダブの顔が、しだいに蒼白に変わっていくのを、警部はむしろおもしろそうに見守っていた。（中略）

「それにしても、これからはもう、あまり偶然の起こらんようにしてもらいたいね。でないと、将来また、きみと顔を合わせなけりゃならんからな」

「まあ、願えたら――」と、メアリー・ダブはいった。「二度とお目にかかりたくはないわね」

（宇野利泰《うのとしやす》訳『ポケットにライ麦を』ハヤカワ文庫　二〇〇三年）

作品の本筋とは別の地点で、ニール警部とダブの間に好敵手としての一種の交感がなされたような、不思議な読後感がある。この小説はミス・マープルによる正義の鉄槌が小気味良く描かれるのだが、その脇で進行しているプロの犯罪者と警部との一瞬の交感劇が忘れがたい印象を残す。かなわぬ夢だが、ニール警部とダブの、立場を越えた共闘を読んでみたかった気もする。どなたか二次創作してみてください。

共闘といえば、懐かしの**江戸川乱歩**《えどがわらんぽ》**「黒蜥蜴《くろとかげ》」**（一九三四年）における明智小五郎《あけちこごろう》と桜山葉子《さくらやまようこ》の関係も外せない。コアな乱歩ファン以外は、またしても「誰？」と思われがちの桜山葉子だろうが、そんなところもメアリー・ダブと重なるキャラクターだ。彼女が明智にスカウトされたのは大阪市内の盛り場の通りだから、まさに路傍の人。ストリート・ガールとさえ作中で言われてしまう彼女は、目下失業の身。そんな葉子を、明智は岩瀬早苗《いわせさなえ》の身代わりとして黒蜥蜴のアジトへ送りこむ。失業した葉子の弱みにつけこんだかのような明智（相変わらず非情な男だ）の策略だが、葉子はみごとにその大任を果たし、素人ながらあの黒蜥蜴を最後まで欺き通すのだからたいしたものだ。明智の相棒を果敢に務めた、まさに路傍の人・桜山葉子の名前が存外に知られていないのは理不尽であろう。本企画は「忘れえぬ女《ひと》」ならぬ「忘れてはいけない女《ひと》」として彼女を強く推薦したい。名場面としては、明智による彼女のスカウト・シーンを推す。

共闘の連想で、本企画の卓尾は**フィルポッツ「闇からの声」**（一九二五年）で飾ろうか。事件の発端となる死んだ少年の声が、老婦人二人の演技だったという結末には、「肩すかし」という評もあろう。が、名刑事と卑劣な（だが妙な魅力のある）殺人者との、男同士の息詰まる対決の背後で、その実はこの事件を最初から見抜き、探偵役に相当する人間の登場を待ち続けていた老女達の行動力と高潔な信念はあまりにも感動的だ。それが往年の名女優の一世一代、最期の演技とくればなおさらで、しかも彼女は名刑事にとって「忘れえぬ女《ひと》」（「あなたはわたしの十代の頃の恋人」と叫ぶ五十五歳のリングローズに、読者は痛快さと心温まる思いを同時に抱くだろう）であったという大団円の名場面には、さすがはクリスティーに創作術を教えた老大家の技量の高さがうかがえるというものだろう。

紙幅も尽きてきたところで、本企画は終了としよう。今回はクラシック編ということで編んでみた（「ゴースト・プロトコル」は、往年の「スパイ大作戦」のリメイクという見方で無理やりクラシック）。勢い、メジャー級の作品ばかり並んでしまい、掘り出し物のご提供には至らなかったことをお詫びする。クラシック掘り出し物編は、次の機会に。そして、クラシック編があるならモダン編もあるのかもしれないが、それもまたの機会ということで読者諒せよ。

世界のＵＭＡ小説《ミステリー》大図鑑（第一期）

笹川吉晴

UMA——Unidentified Mysterious Animal——〝未確認生物〟〝未知動物〟などとも言われるネッシー、雪男、ツチノコなど存在が確認されていない謎の生物を指す、超常現象研究家の南山宏《みなみやまひろし》が考案し、動物研究家の實吉達郎《さねよしたつお》が広めた和製英語だ。かつてはもっと端的に〝怪獣〟と呼ばれていた彼らを活字の世界の中に探索しようという試みが《**世界のUMA小説《ミステリー》大図鑑**》である。

オカルトや都市伝説の文脈で語られることも多く、舞台や状況が限られてくることから、いわゆる本格ミステリの中にはあまり姿を現さないUMAの痕跡を求めてジャンルの辺境、ひいてはジャンル外にまで探索の手を伸ばすことになったが、そもそもUMAというもの自体が写真や映像、録音、足跡や体毛・糞などの残留物、そして目撃証言などの〝証拠〟から組み立ててその正体を推理する、きわめてミステリ的な存在だ。しかも、その〝謎〟は決して解き明かされることはない。解けてしまえば、それはもうUMAではなくなってしまうのだから。あらかじめ解かれないことを宿命づけられた謎。「ミステリ」ではなくあえて「ミステリー」と音引きしているのもこうした理由からである。

現実には解けない謎が果たしてどのように解かれるか。あるいは謎を謎のままにどう享受するか。同じ地球上に暮らす怪しい隣人たちをカテゴリごとに分けて、全十巻でお届けする。

一九三三年に報道された目撃談と写真が世界を揺るがせて以来、ネッシーは湖に棲む怪物にとどまらずUMAの代表格——象徴として斯界に君臨してきた。一〜三巻にはネッシーと、世界の水中に散らばるその眷属たちを収める。

第一巻「湖のひみつ」

①『タナスグ湖の怪物』（一九七四）グラディス・ミッチェル

②『ネッシー殺人事件』（一九九二）友成純一《ともなりじゅんいち》

③「湖上の怪物／ラメトリー湖の怪物」（一八九九）W・A・カーティス

一九七〇年代、世界的なネッシー・ブームの渦中に書かれた①は同じスコットランドの湖に出現する、ネッシーと類似した怪物の調査隊のメンバーが殺される本格ミステリにしてUMA小説という希有な傑作である。魔女のブラッドリー夫人を探偵役とするミステリ部分もさることながら湖周辺の情景や調査活動、リアルにして幻想的な怪物の描写が単なる味つけではないのが嬉しい。②はネス湖で発見されたネッシーの卵が東京下町に持ち込まれ、人喰い怪獣となって暴れ回る。作者の現地体験を基に、ネス湖周辺の情景や調査活動のディテールを雰囲気豊かに描いたネス湖篇《パート》と、『エイリアン』というより『デッドリー・スポーン』を彷彿とさせるスプラッター趣味満載の下町篇《パート》の二本立てでお得な一作だ。火山湖に隠れ棲む首長竜の末裔との邂逅を描いた③は単なる遭遇譚に終わらず、驚くべき医学怪談に転ずる怪作中の怪作。今回は明治四〇年に佐川春水《さがわしゅんすい》が舞台を北米ワイオミングから信州黒姫に移した翻案版と、原典に忠実な新訳を併録する。

第二巻「首長竜の呼び声」

④「黒ぶちダムの怪物」（一九七六）那須正幹《なすまさもと》

⑤『竜のいる島』（一九七六）たかしよいち

⑥『深海恐竜《ニューネッシー》殺人事件』（一九八〇）嵯峨島昭《さがしまあきら》

一九七〇年代はクッシー、イッシー、ヒバゴン、ツチノコなどの出現や石原慎太郎のネス湖探検など、日本におけるＵＭＡ熱が高まっていた。山村の少年三人組を巡る連作の一篇である④は主の伝承が残るダム湖に怪物が現れる。山村の暮らしの中に怪物が自然に入り込んでくるという児童文学ならではのリアルな生活感に満ちているが、その四年前に関東の河川で起こったあるＵＭＡ騒動ともリンクする。湖の怪物が外洋に出れば〝シーサーペント〟と呼ばれる。⑤は日本近海に現れた首長竜を追う骨太な海洋冒険小説《ジュヴナイル》。古生物学に関する児童書を多数ものした著者らしくあくまでリアルな生物として描きながら、出現海域の島に残る竜伝承や化石で補強。訓練したアザラシを使うなど追跡行にも趣向を凝らしている。一九七七年にはニュージーランド近海で日本のトロール船が首長竜に見える巨大な腐乱死体を引き揚げ、〝ニューネッシー〟と名づけられて一大センセーションを巻き起こした。⑥はそのニューネッシーに材を採りながら陰謀と復讐渦巻く一大冒険小説に仕立てた。現実ではニューネッシーの正体はウバザメということで幕引きがされたが、本作では健在で大暴れしてくれる。

第三巻「恐怖の怪獣魔境」

⑦『暗黒大陸の怪異』（一九六二）ジェームズ・ブリッシュ

⑧『吼える密林』（一九八八）田中光二《たなかこうじ》

⑨「アマゾンの怪物（「アマゾンの赤い湖」改題）」（一九八一）山田正紀《やまだまさき》

⑩『伝説の古代龍ジャカラ』（一九九三）ヤマダマサミ

アフリカの奥地に恐竜が生き残っているという噂は、ヨーロッパ人が進出して以来絶えることがない。中でもコンゴ一帯に生息するといわれる竜脚類型《タイプ》のモケーレ・ムベンベは、早稲田大学探検部はじめ何度も調査隊が送られるなど実在が期待されてきた。⑦⑧はそのモケーレ・ムベンベを密林に追う探検もの。いずれもベルギーによるコンゴ統治の歪みを見出しつつ⑦はウラン鉱、⑧はエボラ出血熱と絡めた。人間の心の内に潜む「夜のもののけ」が多種多様な形をとって秘境に棲息しているという⑦は、ムベンベ以外にもさまざまな怪物の存在が伝えられ、現地人はそれらを総称してムベンベと呼んでいるという説に合致する点でも興味深い。一方⑨は石油開発に苛まれる首長竜型の怪物がアマゾン河を往来して人間に復讐する中篇。それを見る主人公もまた物質文明からの疎外者であり、全篇に作者らしい敗北感が漂っている。怪物の正体についての捻りも作者らしい。⑩は原住民が崇める海蜥蜴《モササウルス》の末裔を求めて、ＴＶ取材班がアマゾンを遡る。怪獣・特撮に造詣の深い作者らしく、その方面の小ネタが随所に散りばめられている。翌年にパプアニューギニアのニューブリテン島で、日本の取材班がモササウルスに似たＵＭＡミゴーを撮影したとされる出来事を先取りした感もある。

ネッシーと並ぶスターＵＭＡが雪男だ。十九世紀後半から、探検家・登山家による足跡発見の報告によって西欧世界に知られるようになったヒマラヤの雪男《イエティ》はその後、北米のビッグフット（サスカッチ）、ロシアのアルマス、中国の野人など世界各地に類似の存在が伝えられている。四〜六巻にはその獣人タイプの物語を集めた。

第四巻「恐怖の超猿人」

⑪「恐怖の峰」（一九二二）Ｅ・Ｆ・ベンスン
⑫「獣人雪男」（一九五五）香山滋《かやましげる》
⑬『ＴＥＮＧＵ』（二〇〇六）柴田哲孝《しばたてつたか》

⑪はスイス・アルプスの原生林に人を攫う雪男の群れが潜む恐怖譚。攫われた人間の末路がおぞましい。⑫は『ゴジラ』に次ぐ、作者による東宝特撮映画の原作。日本アルプスに棲息し、山の民との間に共生関係を保っていた雪男が文明社会に牙を剥く。雪男を〝人間〟として現代人と対比させるが、映画の方は山の民の描写が差別的だということで封印されているのが残念。⑬は七〇年代に群馬の寒村で起こった人間の仕業とは思えない大量殺人が、ベトナム戦争に絡んだＵＭＡファンの間では有名なある事件に結びつく。アメリカの陰謀と〝実在〟のＵＭＡを結びつけたアイデアが出色だ。

第五巻「猿人の条件」

⑭「オラン・ペンデク射殺事件」（一九五九）
「オラン・ペンデクの復讐」（一九四七）
「オラン・ペンデク後日譚」（一九四八）香山滋
⑮『人獣裁判』（一九五二）ヴェルコール

⑭は作者のデビュー作「復讐」と続篇「後日譚」、そして前日譚にあたる「射殺事件」の三部作。スマトラ島に今なお実在すると言われる小型の猿人〝オラン・ペンデク〟を巡る奇譚である。最終作を先に配列したのは時系列順であるのとオラン・ペンデクについての説明が詳しいため、発表順より読者の分かりやすさを優先した。⑮はニューギニアで発見され、奴隷のように使われる猿人の人権を主張するため、その雌との間に成した子を自ら殺して殺人犯として名乗り出るアクロバティックな裁判劇《リーガル・ミステリ》。なんと『放射能Ｘ』など

のB級監督ゴードン・ダグラスによって映画化されている。猿人を孕ますのはバート・レイノルズ！　四・五巻の収録作はいずれも雪男はヒトであるか否かという問題を孕んでいる。彼らがヒトの進化の過程におけるミッシングリンクではないかという説を、意図的であるとないとにかかわらず踏まえた必然だろう。

第六巻「まぼろしの比婆山《ひばやま》」
⑯「黄色い泉」（一九七三）小松左京《こまつさきょう》
⑰『幻の広島原人』（一九七六）邦光史郎《くにみつしろう》
⑱『いとしのヒナゴン』（二〇〇四）重松清《しげまつきよし》
⑲『私が愛したヒバゴンよ永遠に』（二〇〇八）見越敏宏《みこしとしひろ》

一九七〇年に出現して以来、広島・比婆山の獣人ヒバゴンは現地の町役場に「類人猿係」が設置されるなど大フィーバーを巻き起こした。⑯は獣人譚につきまとう異類婚的恐怖と、比婆山の伊弉諾《いざなぎ》・伊弉冉《いざなみ》伝承とを結びつけた、底冷えのする伝奇ホラー。⑰はＴＶの撮影中に女性モデルがヒバゴンに攫われショック死する。マスコミの狂躁と、かつては比婆山一帯にも居住していたと考えられていた「日本原人」への興味がせめぎ合う歴史モティーフの風俗ミステリ。⑱は現地・西城町をモデルに、三〇年ぶりに現れた獣人を利用して町興しを目論む人間模様を描く。映画化時には実際に西城町でロケが行われた。⑲は件の「類人猿係」であった旧西城町職員による回想録で、騒動の渦中にあった〝向こう側〟からの視点が興味深い。

絶滅したはずの生き物や、場違いな生き物《テレポーティング・アニマル》もまたＵＭＡである。七・八巻には一見普通だが実は異形の肉食獣たちを収めた。

第七巻「狼の血族」
⑳『漂泊の牙』（一九九九）熊谷達也《くまがいたつや》
㉑『WOLF』（二〇一五）柴田哲孝
㉒『ウルフェン』（一九七八）ホイットリー・ストリーバー

一九〇五年を最後に生息情報が途絶え、絶滅したとされながら今なおニホンオオカミがどこかに生き残っているという説は根強い。⑳は妻を野獣に食い殺された動物行動学者が東北山中に〝犯人〟を追ううち、オオカミの存在に行き当たる。細密な自然・動物描写の中にオオカミと山の民との関わりなども絡めて、人間の執念と因縁が生む悲劇を描いている。一方、㉑は今なお犬神信仰が残り、オオカミ生存の噂が絶えない奥秩父で肉食獣の群れによる襲撃事件が発生。自然ライターと動物学者の父子、元自衛官のハンターらがチームプレーでその正体に迫っていく。綿密な取材の下、日航機墜落事故なども絡めつつ、オオカミ生存説や生態系を巡る問題に切り込んでいくＵＭＡハント小説の力作。㉒は高度に進化した類人狼とでもいうべき種の群れがＮＹに隠れ棲み、夜な夜なホームレスや酔っ払いなどを狩っているというモダンホラー。狼男とは違った、生物としての人狼をリアルに描き出す異色の秀作。

第八巻「闇に光る目」

㉓『残虐なる月』（二〇〇七）クリス・シムズ
㉔『バスカヴィル家の犬』（一九〇二）コナン・ドイル

主に一九六〇年代から、イギリスでは本来いるはずのない巨大なネコのような動物が各地に出没してきた。家畜を襲ったり写真・映像が撮影されたり、時には捕獲されることさえあるこれら大猫は〝エイリアン《A》・ビッグ《B》・キャット《C》〟などと呼ばれ、神出鬼没に市民を脅かしている。㉓はそのビッグ・キャットをモティーフに、大英帝国の暗部を抉るという点でマイケル・スレイドの某作とも響き合う連続猟奇殺人譚。ビッグ・キャットの正体として、海外から連れてこられたペットが人の手を離れて野生化したものという説とも呼応しているといえる。こうしたビッグ・キャットのイメージの源流となるのが中世以来恐れられ、今なお教会にその爪痕が残されている黒い魔犬《ブラック・ドッグ》の伝承ではないか。そこで本巻ではその決定版ともいうべき㉔も併せて収録し、荒野《ムーア》に跳梁する野獣の変遷を追った。

第九巻「水中からの挑戦」

㉕『ＫＡＰＰＡ』（一九九一）柴田哲孝
㉖『ウォーレスの人魚』（一九九七）岩井俊二《いわいしゅんじ》
㉗「篠乃隧道由来」（一九七六）藤原審爾《ふじわらしんじ》
㉘『海棲獣』（一九九四）ピーター・ベンチリー

水中には首長竜以外にもさまざまな怪物が潜んでいる。㉕は河童伝説の残る牛久沼に人を襲う怪生物が現れる。アウトドア系のジャーナリストだった作者らしくファンタジックな妖怪ではなく、あくまでリアルな生物感にこだわった描写は、その後クローズアップされることになるある社会的な問題を先取りしている。また、㉖は進化論をモティーフに、人魚伝説を水性類人猿説と絡めて、水の精ではなくヒトと分化したリアルな生物として、人魚の生態を描く。クラーケンのモデルともいわれるタコやイカなど頭足類の巨大化は、ダイオウイカなどの存在があるだけに信憑性をもって語られる。㉗は明治期の鳴門を舞台に巨大タコと人間の死闘を、軍隊まで出動する怪獣映画ばりの迫力で描く短篇。海中だけではなく陸に触手を伸ばし、遂には上陸して暴れ回るパワフルさだ。㉘の作者にはサメものの金字塔『ジョーズ』はもちろん、ストレートに巨大イカを題材にした『ビースト』もあるが、本作では牙と爪を持つ正体不明の怪物が海中から人を襲う。ナチスの実験も絡んでＢ級臭《ゲテモノ》が芬々と漂うが、このいかがわしさがＵＭＡの面白さでもある。

第十巻「何かが道をやってくる」（上下）

㉙『魔王の足跡』（一九五〇）ノーマン・ベロウ

㉚『モスマンの黙示（プロフェシー）』（一九七五）ジョン・A・キール

㉛『魔の淵』（一九四四）ヘイク・タルボット

㉜『ドラゴン殺人事件』（一九三三）ヴァン・ダイン

ＵＭＡにはＵＦＯや心霊、異次元など他分野の超常現象と重なり合う部分がある。一八五五年、雪の積もった英デヴォン州の村や町に一夜にして一本足の蹄の跡が点々とつけられていた。数十キロにわたって続くこの足跡を、人々は悪魔のものと恐れた。㉙はこの〝デヴォンシャーの悪魔〟事件から一世紀を経て再び蹄跡が現れ、その先に死体がぶら下がっていたという本格ミステリ。ミステリとしてはシンプルだが不可能&オカルト趣味満載で、世界の深淵がふと顔を覗かせるような不気味さが漂う。一九六六年から六七年にかけて米ヴァージニア州ポイント・プレザントで、体長二メートルの飛行する怪物が相次いで目撃された。㉚は超常現象研究家の著者が自ら関わった、この〝モスマン〟騒動を記録したノンフィクション。とはいえ調査が進むにつれて奇怪な現象や妨害に悩まされ、遂には一大惨事が発生するまでの顛末はきわめて小説的。いわばオカルト私小説のような趣で、この延長線上に朝松健の『黒衣伝説』がある。

㉛は北米先住民の間で伝承され、精神疾患《カニバリズム》の事例としても知られるのみならず目撃談も多い魔物ウェンディゴをモティーフに、雪の山荘に集まった人々が怪異と不可能殺人に晒される。次々と起こる怪異が生々しさをもって濃密に描かれるにとどまらず、普通のミステリとは違う方向へと作用する異色の本格ミステリ。㉜もやはり先住民の時代より竜の存在が伝わる池で怪死事件が発生する。本格ファンからの評価は芳しくないが、マンハッタンの屋敷に飛来する竜のイメージや竜を崇拝する老婆の偏執、ヴァンスの竜・水棲生物談議などによって伝承の怪物を真っ向から実体化していく作者の手つきと、竜の仕業を現出させようとする犯行の歪さとがパラレルに、現代にあえて怪異を夢想することの困難さと愉悦とを描き出す。

以上《世界のＵＭＡ小説大図鑑》全十巻だが、もちろんＵＭＡ小説の種類《ヴァラエティ》・数はこれに留まるものではない。バランスやヴォリュームを勘案して泣く泣く外したものが多数あるし、私が未発見の種もいくらも存在しよう。いや、今このときにも世界のどこかで新たな種が生み出されているかもしれないのだ！

＊　＊　＊

こうして第一期全十巻が刊行された《世界のＵＭＡ小説大図鑑》だがその後、新たな作品の登場や、動画・児童書などによるＵＭＡ認知の高まりもあって、第二期の企画が進行中である。そこで、現時点での候補をいくつかご紹介しておきたい。

第十一巻「地獄の謝肉祭」（上下）

㉝『モンスター・パニック！』（二〇二〇）
マックス・ブルックス

㉞『ブルシャーク』（二〇一九）雪富千晶紀《ゆきとみちあき》

㉟『ＲＹＵ』（二〇〇九）柴田哲孝

㊱『アイス・ハント』（二〇〇三）ジェームズ・ロリンズ

かつて〝怪獣〟と呼ばれていた頃を彷彿とさせる人喰いＵＭＡを集めた大娯楽篇が本巻。㉝は火山の噴火によって孤立したコミュニティが、飢えたビッグフットの群れに襲われる。二つの群れの死闘の迫力もさることながら、ビッグフットの進化・生態に関する考察が物語の展開を導いていくところが秀逸。サメ映画は一部で根強い人気を誇り、突拍子もないヴァリエーションを様々に生み出しているが、㉞は富士山麓の湖に巨大ザメが現れる。その道筋を丁寧に追いながら、クライマックスはトライアスロン大会の一大カタストロフという由緒正しいパニックもの。㉟は竜伝説の残る沖縄の村で、家畜や人間が次々と姿を消す。遺されたカメラには巨大生物の一部を写した写真が――。㊱は北極の氷の下から蘇った古代生物の群れが秘密基地を襲う活劇巨編だが、暴れ回るその正体がいささかレア。

第十二巻「魔の山へ飛べ」

㊲『ファントム・ピークス』（二〇〇七）北林一光《きたばやしいっこう》

㊳『異形の山』（二〇二一）樋口昭雄《ひぐちあきお》

㊴『神の獲物』（二〇〇四）Ｃ・Ｊ・ボックス

〈山〉への恐れと畏れをディテール豊かに描き出した山岳ＵＭＡものを収めたのが本巻。㊲は安曇野山中に巨大な怪物が跳梁する。正攻法の展開に怪物の正体はひと捻りがきいて、作者の早世が惜しまれる。㊳は南アルプス北岳を舞台に山岳救助隊が活躍するシリーズの一篇だが、謎の火球が落下し、白い毛の雪男が現れて暴れまわる。ビッグフット＝宇宙人説に呼応したかのような展開だが、根底には生態系や人間の傲りについての真摯な問題提起がある。㊴もワイオミングの猟区管理官を主人公にしたシリーズの一冊だが、野生動物や家畜、そして人間までもが次々と局部を切り取られた惨殺体となって発見される。キャトルミューティレーションを思わす事態に、奇妙な熊の出現という超常的なモティーフが、人智を超えた自然の中で〈悪〉と対峙する構図を描き出す異色作だ。

他にもツチノコ関連の随筆・小説・漫画そして飼育報告書をまとめた「ツチノコ白書」、古代怪鳥、吸血植物、怪物ダコ、大蜘蛛、知性を持った巨大アリ、大蛇、古代熊、空中生物などＨ・Ｇ・ウェルズおよびコナン・ドイルの怪生物ものを集めた「古典怪獣総進撃」、ダン・シモンズ『ザ・テラー』とスコット・スミス『ルインズ』という秘境探検＋怪物ものの二大作をカップリングした『探検隊北／南へ』、田中啓文《たなかひろふみ》の快怪作を一冊にまとめた『ＵＭＡハンター馬子全集』など、さらなるＵＭＡたちがあなたを狙っているのだ！

歴史時代小説作家ミステリ傑作選【戦後篇】

末國善己

第一巻『山本周五郎《やまもとしゅうごろう》集』
第二巻『柴田錬三郎《しばたれんざぶろう》集』
第三巻『司馬遼太郎《しばりょうたろう》集』
第四巻『平岩弓枝《ひらいわゆみえ》集』
第五巻『ポスト隆慶一郎《りゅうけいいちろう》の時代集』
第六巻『宇江佐真理《うえざまり》とその後の作家集』
第七巻『文庫書き下ろし傑作選』
第八巻『酒見賢一《さけみけんいち》・佐藤賢一《さとうけんいち》集』
第九巻『青山文平《あおやまぶんぺい》・岡田秀文《おかだひでふみ》・幡大介《ばんだいすけ》集』
第一〇巻『二〇一〇年代デビュー新鋭集』

全五期の予定で刊行を続けているコレクション〈探偵小説史の再検討〉は、探偵小説プロパーの作品でなかったり、一般的な評価が高くなかったりしたため、江戸川乱歩《えどがわらんぽ》『探偵小説四十年』を始めとする探偵小説史での言及が少ない作品の系譜をたどることで、従来の〝歴史観〟と〝ジャンル認識〟の再検討をうながすことを目的としている。

これまで、第一期『純文学作家ミステリ傑作選』(全一〇巻)、第二期『通俗ミステリ傑作選』(全一〇巻)、第三期『歴史時代小説作家ミステリ傑作選【戦前篇】』(全一〇巻)を刊行してきたが、【戦前篇】の続篇となる第四期『歴史時代小説作家ミステリ傑作選【戦後篇】』(全一〇巻)も、ミステリ史に新たな光を当てる作品を選んだ。

【戦前篇】で横溝正史《よこみぞせいし》、城昌幸《じょうまさゆき》らを外したように、【戦後篇】も時代小説、ミステリの両方のジャンルで活躍していると広く知られている松本清張《まつもとせいちょう》、笹沢左保《ささざわさほ》、宮部《みやべ》みゆき、皆川博子《みながわひろこ》らは取り上げなかった。

第一巻『**山本周五郎集**』は、『樅ノ木《もみのき》は残った』と『赤ひげ診療《しんりょう》譚《たん》』を収録した。

太平洋戦争で敗北した日本は占領統治したGHQの指導で急速に民主化され、天皇に忠誠を誓って戦争に突き進んだ戦前の体制は悪とされた。周五郎が、賄賂政治家とされてきた田沼意次《たぬまおきつぐ》の実像に迫る『栄花物語《えいがものがたり》』など、通説を疑う作品を書いたのは、戦後の価値観の転倒と無縁ではあるまい。この路線の代表作が、仙台藩で起きたお家騒動で、お家乗っ取りを目論んだ悪役とされてきた原田甲斐《はらだかい》を再評価した『樅ノ木は残った』である。作中には会話だけで構成された謎めいた「断章」が何度も挿入され、これを使ってどんでん返しを作る構成は、真保裕一《しんぽゆういち》『覇王《はおう》の番人《ばんにん》』、田牧大和《たまきやまと》『緋色《ひいろ》からくり』、安部龍太郎《あべりゅうたろう》『冬を待つ城』などでも援用されており、後世に大きな影響を与えたといえる。

『樅ノ木は残った』を政治ドラマとするなら、小石川養生所を舞台にした『赤ひげ診療譚』は、日常の謎が中心の市井ものである。裕福ではない佐八が、長屋の住人に金品を分け与えた理由を探る「むじな長屋」、先代の大家が長屋の店賃を取らないと約束したのに、息子が立ち退きを迫る「おくめ殺し」は、裏長屋を舞台にした宮部みゆき『ぼんくら』に通じるものがあり、周五郎の方法論を受け継いだ作家の多さが改めて実感できるだろう。

本稿の執筆中に、掲載誌が見つかり戦前に周五郎が少年少女向けに書いた長篇冒険小説『新宝島奇譚《しんたからじまきたん》』と『幽霊要塞《ゆうれいようさい》』をコンプリートすることができたので、ボーナストラックとして収録した。

第二巻『**柴田錬三郎集**』には、『眠狂四郎無頼控《ねむりきょうしろうぶらいひかえ》』から始まるシリーズ全作を収めた。

終戦直後から始まった探偵小説ブームは、日本国憲法の制定による民法改正で、女性に相続権が認められていなければ成立しない事件を、復員してきた名探偵・金田一耕介《きんだいちこうすけ》が解決する横溝正史『犬神家の一族』のように、同時代の世相が色濃く反映されていた。

柴練はエッセイ「眠狂四郎の生誕」で、戦前の吉川英治《よしかわえいじ》『宮本武蔵《みやもとむさし》』を想起させる「求道《ぐどう》精神主義者か、しからずんば正義派」「刀を抜くこと」を「もったいぶ」り「氏素性は正しいし、女に対してピューリタンで、万事理想的にできすぎている」というヒーロー像を「いちいち」反転させ、平然と人を斬り、女を犯すダークな眠狂四郎を生み出したとしている。戦前のヒーロー像を反転させ戦後の読者を魅了した眠狂四郎が、不可能犯罪に挑む名探偵でもあることは拙編『花嫁首　眠狂四郎ミステリ傑作選』でも示した。ミステリ史では、仁木悦子《にきえつこ》が『猫は知っていた』でデビューし、松本清張が『点と線』の連載を始めた一九五七年頃からミステリが大衆的な人気を獲得したとされてきたが、『眠狂四郎無頼控』の連載開始は、それより一年早い。その意味で〈眠狂四郎〉シリーズを読むと、ミステリの大衆化問題への新たなアプローチが見つかるかもしれないのである。

第三巻『**司馬遼太郎集**』は、全集未収録で長く入手困難だった現代ミステリ『豚《ぶた》と薔薇《ばら》』『古寺炎上《こでらえんじょう》』の待望の復刻となった。

司馬が東方社版『豚と薔薇』の「あとがき」で、「私は、推理小説にほとんど興味をもっておらず、才能もなく、知識もない。書けといわれて、ようやく書いた」と記しているように、この作品は清張の『点と線』から始まる社会派推理小説ブームの中で執筆されている。当時の司馬は『梟の城』で直木賞を受賞した直後で、ミステリを書けるのかが判然としない新鋭までが動員されたところに、社会派推理小説の広がりが見て取れる。

酒場で知り合い、なりゆきで同棲を続けていた尾沼幸治《おぬまこうじ》の死を知った田尻志津子《たじりしづこ》が、事件を調べるうち、尾沼が変名を使って複数の女性と関係を持っていたことを知る『豚と薔薇』は、メイントリックが清張の代表作に似ているところなど弱さはあるが、謎解きを通してモータリゼーションの発達や個性を画一化する大量消費社会の現実を突き付けたところは先駆的で、司馬がいうほど悪くない。

その一方で、京都の寺で火事があり焼死体が見つかる『古寺炎上』は、近代日本の仏教史を概観しながら観光で巨万の富を得ている大寺院の実態を暴くなど社会的なテーマへの言及はあるものの全体が未整理で、「興味」も「才能」も「知識」もないのにミステリを書いた司馬の苦労がうかがえる。

第四巻『**平岩弓枝集**』には、中断をはさみながら一九七三年から二〇〇五年まで連載された『御宿《おんやど》かわせみ』と、舞台を明治に移した『新・御宿かわせみ』の全作を収録した。

女性ミステリ作家の道を切り開いたのが仁木悦子とするなら、同じ役割を果たした時代小説作家は平岩弓枝である。ヴィッキー・バウムの原作戯曲をミュージカル化した『グランドホテル』の形式を時代小説に導入した『御宿かわせみ』は、大川端《おおかわばた》にある旅籠《はたご》「かわせみ」を訪れた人々を描く人情ものであり、幕末の動乱を庶民の視点で切り取った歴史小説であり、当然ながら優れたミステリでもある。シリーズのミステリとしての特質は、大矢博子選『「御宿かわせみ」ミステリ傑作選』の収録作、「解題」と「著者に訊く」に詳しい。

数多くの映画、テレビドラマの脚本を手掛けた池田一朗《いけだいちろう》が、隆慶一郎のペンネームで『吉原御免状《よしわらごめんじょう》』の連載をスタートしたのは一九八四年だった。それまでの伝奇小説は、史実を絶対に変えられないものとし、その隙間にフィクションを織り込んでいた。これに対し隆慶一郎は、網野善彦の歴史研究を踏まえて史料を読み替え、忍者や剣客が派手なバトルを繰り広げる伝奇物語と史実を矛盾なく接続してみせたのである。徳川家康は関ヶ原の合戦で石田三成方の忍者に暗殺され、それ以降は影武者が家康を演じていたとする『影《かげ》武者徳川家康《むしゃとくがわいえやす》』は、重厚長大な冒険小説がブームになっていたこともあり、ミステリファンからも高く評価された。

第五巻『**ポスト隆慶一郎の時代集**』は、隆慶一郎の方法論を継承し、歴史を従来とは別の角度で切り取る歴史ミステリの楽しさと、作中で起こる事件を解明する時代ミステリの面白さを両立した安部龍太郎『恋七夜《こいしちや》』、火坂雅志《ひさかまさし》『墨染《すみぞめ》の鎧《よろい》』、宮本昌孝《みやもとまさたか》『ドナ・ビボラの爪』を収録した。

一九八〇年代の半ばから、宮部みゆき、髙村薫、桐野夏生らが相次いでデビューした。時代小説でこの流れに対応するのは、宇江佐真理から始まる系譜だろう。

第六巻『**宇江佐真理とその後の作家集**』は、捕物帳では親分を内助の功で支えるだけだった女房役を、親分より稼ぎのある自立した女性に変え捕物帳に革新をもたらした宇江佐の代表作『髪結《かみゆ》い伊三《いさ》次捕物余話《じとりものよわ》』の全作を巻頭に置いた。この作品も、平岩の『御宿かわせみ』と同様に人情ものと思われがちだが、芸者が誘拐事件の罪をかぶった理由に意外性がある「幻の声」、人の心を操る犯人に挑む「黒く塗れ」などトリッキーな作品も少なくない。

続く諸田玲子《もろたれいこ》『楠の実が熟すまで』は、幕府が公家の不正を暴くため女隠密を送り込んだ史実をベースにしている。スパイ小説の中に、期間内に不正の証拠を見つけるタイムリミットや、限られた容疑者の中から刺客を探す犯人当てまで様々な趣向を詰め込んだところは、小さい頃から海外ミステリを読んできたという諸田の面目躍如といえる。

朝井《あさい》まかて『悪玉伝』は、大坂の豪商・辰巳屋《たつみや》で実際に起きた相続争いを題材にしており、論理を戦わせる法廷サスペンスも、場外乱闘の謀略戦も傑出している。古代史ものの新たな牽引役になっている澤田瞳子《さわだとうこ》『与楽《よらく》の飯　東大寺造仏所炊屋私記《とうだいじぞうぶつしょかしきやしき》』は、奈良の大仏の建設現場で起こる事件を解決するミステリで、切れ味鋭いロジックを読むと、澤田が泡坂妻夫《あわさかつまお》のファンだというのも納得できる。

第七巻『**文庫書き下ろし傑作選**』には、バブル崩壊後のデフレ不況で売り上げを伸ばし、雑誌掲載、単行本、文庫化という小説出版の常識を変え、ミステリの世界でも、文庫書き下ろし、雑誌掲載から文庫にする、いわゆるいきなり文庫を増やす契機となった文庫書き下ろし時代小説の中から、その歴史をたどることも考慮しつつミステリの傑作をセレクトした。

佐伯泰英《さえきやすひで》は、派手な活劇とエロティシズムを前面に押し出していた文庫書き下ろし時代小説に、市井人情もののテイストを持ち込みジャンルを改革した。ただ佐伯の前にも峰隆一郎《みねりゅういちろう》、早坂倫太郎《はやさかりんたろう》らが活躍しており、鳥羽亮《とばりょう》もその一人である。『剣の道殺人事件』で江戸川乱歩賞を受賞した鳥羽らしく、太刀筋の違いから犯人を追い詰めるなど剣豪小説とミステリを融合した『三鬼の剣』は、佐伯以前のハードボイルド色も濃い作品である。

風野真知雄《かぜのまちお》は、歴史小説、人情もの、捕物帳など多彩な作品を発表しているが、これがブームと共にジャンルが多様化した文庫書き下ろし歴史時代小説の歴史を体言しているほどキャリアが長い。〈同心亀無剣之介《どうしんかめなしけんのすけ》〉シリーズは、あるようでなかった倒叙形式の捕物帳で、風野のシリーズの中で最も本格としての完成度が高い。文庫書き下ろしの『竜門《りゅうもん》の衛《えい》』でデビューした上田秀人《うえだひでと》は、佐伯から始まるブームの申し子といえる。『竜門の衛』は、伝奇小説の随所にミステリ的な小ネタがちりばめられ、ラストに鮮やかな伏線回収もあるだけに、【戦前篇】に収録した角田喜久雄《つのだきくお》『髑髏銭《どくろせん》』を彷彿させる。

第八巻『**酒見賢一・佐藤賢一集**』は、中国史もの、ヨーロッパ史ものを新たなステージに押し上げた酒見賢一『陋巷《ろうこう》に在《あ》り』と、佐藤賢一『王妃《おうひ》の離婚《りこん》』を収めた。

酒見賢一は二〇〇三年一月号の「ユリイカ」の特集「中国幻想綺譚」のインタビューで、「完全にロジカルで、幾何学の証明問題のように謎を解くエラリー・クイーンから影響を受けたと語っている。孔子《こうし》の弟子・顔回《がんかい》を主人公にした『陋巷に在り』は、魯《ろ》の定公《ていこう》に仕え礼を用いた秩序ある国家建設を目指す孔子の一派と、南方の呪術を使う政敵・少正卯《しょうせいぼう》の一派が壮絶な呪術戦を繰り広げていくので、ミステリの要素はないように思える。ただ呪術が人の心身にネガティブな効果を与えるプロセスをロジカルに解説したり、ある人物の意識を乗っ取った術者を捜したりするところには、クイーンらしさが感じられるはずだ。

『王妃の離婚』は、ルイ一二世が王妃ジャンヌに対し婚姻の無効を主張し訴訟を起こした史実をベースにしている。王の権威を背景にした横暴な検察に追い詰められたジャンヌの弁護を引き受けたのは、ある事件が切っ掛けで大学を追われたフランソワだった。フランソワが、法解釈、証人の嘘を暴く巧みな訊問、傍聴人を味方に付けるイメージ戦略まで硬軟織り交ぜた法廷戦術で不利を覆す展開は、良質な法廷サスペンスになっており、法とは何かを問い掛ける普遍的なテーマも鮮やかである。

一九七〇年代まで時代小説とミステリの両方を手掛ける作家はいたが、宮部みゆきがデビューした一九八〇年代半ばには、それぞれのジャンルで専業化が進んでいた。しかし、二〇〇一年に佐々木《ささき》譲《じょう》が初の歴史小説『武揚伝《ぶようでん》』を刊行、逢坂剛《おうさかごう》が捕物帳として始め冒険小説へシフトさせた〈重蔵始末《じゅうぞうしまつ》〉シリーズをスタートさせるなど、再び専門外のジャンルに進出する作家が増えてきた。時代小説作家としてデビューした青山文平、文庫書き下ろし時代小説の世界で活躍している幡大介、小説推理新人賞、日本ミステリー文学大賞新人賞を受賞しているが時代小説作家としての評価が先行した岡田秀文の三人を収録した第九巻『**青山文平・岡田秀文・幡大介集**』は、時代小説とミステリの新たな相互交流の実態を確認するため、ホワイダニットにこだわった青山の連作集『半席《はんせき》』、名探偵・月輪龍太郎《がちりんりゅうたろう》が初登場した岡田の館もの『伊藤博文《いとうひろふみ》邸の怪事件』、新本格が構築したミステリのお約束を盛り込んだ幡の『猫間地獄《ねこまじごく》のわらべ歌』をまとめた。

最終巻となる第一〇巻『**二〇一〇年代デビュー新鋭集**』は、あやつりトリックを縦横に張り巡らせた谷津矢車《やつやぐるま》『曽呂利《そろり》！』、合理主義者とされてきた織田信長を探偵役にした連作集で、謎解きを積み重ね本能寺の変の意外な真相を浮き彫りにする構成も見事な木下昌輝《きのしたまさき》『炯眼《けいがん》に候《そうろう》』、今川家の人質になった美少年の竹千代（後の徳川家康）が、自分を犯した義元に復讐するため能の秘伝書『風姿花伝』を武器に騙しのゲームを開始する大塚卓嗣《おおつかたくじ》『傾城《けいせい》　徳川家康』、読者をミスリードする手法と、偽の手掛かりの配置が秀逸な今村翔吾《いまむらしょうご》『羽州《うしゅう》ぼろ鳶組《とびぐみ》　菩薩花《ぼさつばな》』と、三〇代、四〇代でデビューした若手の四篇を収録した。ジャンルにこだわりがなく、必要ならミステリの方法論を軽やかに導入する本書の収録作からは、時代小説の最前線が、ミステリの最前線になりつつある現状も見て取れるのである。

満洲ミステリ・アラベスク

秋好亮平

満洲国の建国から百年近くの月日が経った。当時かの地は、日露戦争の戦果として獲得した満鉄（南満洲鉄道）附属地を足掛かりに特殊権益の保護拡大を進める日本のほか、南京《ナンキン》に樹立された蒋介石《しょうかいせき》の国民政府や奉天《ほうてん》を拠点とした張学良《ちょうがくりょう》率いる北洋軍閥、さらにアメリカやソ連といった列強の思惑も交錯し、長らく不安定な緊張状態にあった。そんな「極東の火薬庫」で、ついに事変が勃発する。一九三一年九月十八日、奉天近郊の柳条湖《りゅうじょうこ》付近で満鉄線路の一部が爆破されたのだ。関東軍は張学良軍の犯行と断じてただちに軍事行動を開始したが、実際のところ、それは参謀・石原莞爾《いしはらかんじ》らの謀略によるものだった。関東軍は次々と戦線を拡大しながら、天津《てんしん》に隠棲していた清朝の廃帝溥儀《ふぎ》を擁立し、翌年三月、中国側からは「偽満洲国」と呼称される人工国家を忽然《こつぜん》と創り出した……。

　先行する満洲をテーマとしたアンソロジー『外地探偵小説集　満洲篇』のまえがきで、編者の藤田知浩《ふじたともひろ》は「多くの日本人が住み、国家までつくられた満洲には、今も多くの謎が残されている。はたして満洲とは何だったのか。謎解きの形をとった推理小説の中に、その答えの手がかりが幾つも隠されている」と述べている。現代日本人にとってひとつの大きな謎である満洲という地理的空間が、過去にどのように表出され、今日《こんにち》どのようにイメージされているのか。本叢書の狙いもまた、大衆小説、こと国産探偵小説を読み返すことでその痕跡を辿《たど》り、「満洲の謎」と改めて対峙するところにある。

第1弾：鮎川哲也《あゆかわてつや》『ペトロフ事件』
第2弾：宮野村子《みやのむらこ》『流浪の瞳』
第3弾：檜山良昭《ひやまよしあき》『消えた「亞細亞号」』
第4弾：池宮彰一郎《いけみやしょういちろう》『事変　リットン報告書ヲ奪取セヨ』
第5弾：加納一朗《かのういちろう》『特急〝あじあ〟殺人行』
第6弾：伴野朗《とものろう》『落陽廣野に燃ゆ』
第7弾：樋口明雄《ひぐちあきお》『紅の匣子槍《モーゼル》』全三巻
第8弾：辻真先《つじまさき》『あじあ号、吼えろ！』
第9弾：山田正紀《やまだまさき》『ミステリ・オペラ　宿命城殺人事件』
第10弾：柳広司《やなぎこうじ》『幻影城市』
第11弾：芦辺拓《あしべたく》『時の審廷』
第12弾：新美健《にいみけん》『満洲コンフィデンシャル』
第13弾：北原真理《きたはらまり》『紅子』

　満洲は戦前より〈明朗性と理想主義が総合した「満洲ロマンチシズム」〉と〈頽廃と没落、逃避と虚無の世紀末的意識〉という相反する通俗的なイメージに塗れ（姜尚中《カンサンジュン》・玄武岩《ヒョンムアン》『興亡の世界史　大日本・満洲帝国の遺産』）、植民地傀儡国家と理想国家のふたつの側面を有するが、外地の記憶を直接に有さない世代はそのようなイメージといかに向き合って作品化しているのか。また、現地で実際に暮らした者の手で、生活者の実感に基づいて書かれた作品は、世に氾濫する満洲イメージといかほどの落差があるのか。そうした点を意識しながら、以下各作品の紹介に移ろう。

第1弾は本格派の驍将・鮎川哲也のデビュー長編であり、代表的なシリーズ名探偵・鬼貫《おにつら》警部の初登場作品。一九四四年秋、「満洲の湘南」と称された大連《だいれん》近郊の夏家河子《かがかし》で事件が起きた。金満家の白系ロシア人イワン・ペトロフが自邸で何者かに射殺されたのだ。容疑者は三人の甥とその恋人たち。彼らはいずれも鉄壁のアリバイを主張するが、沙河口《さがこう》警察署の鬼貫は疑いを捨てることなく、地道な捜査を続けていく。実際の満鉄の時刻表を用いた、鮎川のアリバイ崩しものの原点と言えるだろう。しかし一方で、本作は以降の鬼貫警部の推理すら相対化してしまうような、アンチ・アリバイ崩しものでもあるのだ。

鮎川は一九一九年東京府生まれ。小学三年生の頃、父親が満鉄の測量技師となったため一家で渡満。旧制中学卒業後は東京の学校に進学したものの、病気のためにたびたび満洲へ戻っており、その中でクロフツの『ポンスン事件』にヒントを得て『ペトロフ事件』の初稿を執筆、一九四四年に帰国した。

第2弾は、講談社〈書下し長篇探偵小説全集〉十三巻目の席を募集するコンテストに投じられ、鮎川の「黒いトランク」に敗れた長編「夢を追う人々」を改題したものだ。鈴村《すずむら》病院の娘・真奈《まな》は、医師の信也《しんや》と看護婦のミツの密談を立ち聞きする。どうやら自殺未遂を繰り返す三号室の患者に関してなんらかの秘密があるらしい。一方、真奈の幼馴染で満鉄理事の娘・花枝《はなえ》の周りでは、大連図書館に勤務する同僚が不幸な死を遂げた。連続する不審な事件を前に、真奈は素人探偵へと乗り出す。真相自体よりも、戦時の満洲という特殊環境で大きな夢を見て、結果的に事件に巻き込まれることとなった人々の悲哀が胸を打つだろう。

宮野は一九一七年新潟県生まれ。実践女子専門学校中退後、家族で大連へ渡り、在満中に木々高太郎《きぎたかたろう》の推薦を受けて作家デビューする。戦後の四七年に内地へ引き揚げた。

極東での対ソ開戦の模様を描いた『ソ連本土決戦　昭和16年8月、関東軍ソ連領へ突入！』や、一九九五年からタイムスリップした自衛隊がソ連軍と戦う『満州決戦１９４５』などスペクタクル小説、架空戦記ものと分類されることの多い檜山作品のうち、ここでは特高に追われたアナーキスト青年と世間知らずの財閥令嬢が満洲国の帝位継承争いに巻き込まれる『竜と剣』の改題作を**第3弾**として採録。大連へ向かう船中での殺人事件を皮切りに、諸勢力入り乱れての暗闘へと展開させる筆さばきからは、この作家の本領がデビューより変わらず歴史謀略ミステリにあることが窺える。

第4弾の元々のタイトルは『幻の関東軍解体計画　リットン報告書を奪取せよ』。脚本家時代の著者が本名名義で発表したものを、小説家デビュー後、文庫化に際して改題したという経緯だ。本作は、秘密文書の奪取を物語の佳境とするケイパーものである。と同時に「リットン調査団の報告書はなぜ、いかにして盗まれたか」「なぜ日本は国際連盟脱退に至ったのか」といった歴史の謎に、虚実の皮膜を突いて答える推理ものでもあり、その真価はロシアによるウクライナ侵攻を目の当たりにした現代人ならば一層感得できるはずだ。
　池宮は一九二三年生まれ。四〇年に渡満、三年後に現地徴集で陸軍に入隊したのち、南方戦線を経て戦後に本土復員した。

　明治期の文士・山田美妙《やまだびみょう》の孫としても知られる**第5弾**の著者は、一九二八年東京に生まれ、父親と死別したため伯父を頼って三九年に渡満、四七年まで大連で暮らした。満洲関連作品は『裂けた旅路』や『黄海大脱走』など数点あるが、本叢書にはほぼ全編にわたり当時の満洲を舞台にしたこの作を選んだ。
　映画俳優の中原丈二《なかはらじょうじ》が撮影のため満洲に向かう途中、列車から転落して死亡した。彼は日中間の軍事衝突を終息させるため、某宮様から関東軍の中枢にいる人物に宛てた親書を密かに携えていたため、単なる事故死とは考えにくい。特務機関所属の園田鉄也《そのだてつや》は、親書の行方と丈二の死の真相を探るよう命を受け、日満合作映画の撮影スタッフに接触を図るが、そのうちの一人が特急〝あじあ〟車内で毒殺されてしまう。胸躍るような探偵活劇から一転、園田はやがて虚無的な結末を迎えるが、そこにこそ本作の、いや、加納の戦争に対する眼差しがあるに違いない。

　第6弾に描かれるのは、満洲から上海に跨がる阿片を駆使した日中通貨戦争である。満蒙領有を画策する石原莞爾に請われ、関東軍の資金調達に乗り出した賀屋達馬《かやたつま》は、困難な状況下に大胆な計画を次々と実行してゆく。『20世紀冒険小説読本【日本篇】』で井家上隆幸《いけがみたかゆき》も指摘するとおり、賀屋のモデルは日本特務機関の茂川秀和《しげかわひでかず》で、〈そうした事実をベースに虚構を構築して伴野朗がえがいているのは、日中戦争がいかに汚い戦争であったかということ〉だ。そこには、戦争の裏の顔ともいうべき金融的背景があった。ちなみに、本作で脇役として登場した某人物は、伴野の別作品『上海スクランブル』や『シャンハイ伝説』などでも活躍している。

　第7弾のみ例外的に「頭弾」「狼叫」「竜虎」の三部作三巻セットとした。満洲事変直前の一九三一年、街で盗みを働き生活している少女柴火《さいか》は、そうと知らずに馬賊の男たちから荷物を奪ってしまう。報復に仲間を撃ち殺されるも、彼女だけは生かされ、馬賊の村で馬賊として育てられていく。一方、日本を捨て、中国に帰化した伊達《だて》順之助《じゅんのすけ》は、かつて相対した虎の姿を追い求めていた。やがて二人は、関東軍と抗日義勇軍との戦いの中で邂逅《かいこう》することになる。血湧き肉躍るばかりでない、時代に翻弄された者たちの哀切さが全編を覆い、読者を何度でも圧倒するはずだ。

　第8弾の舞台は敗戦前夜の満洲。ソ連参戦の報を受けて駅に群がる群衆を尻目に、映画俳優の神住恭《こうずみきょう》は列車に乗るよう軍から指示される。ホームに停まっていたのは、とうに運行を停止したはずのあじあ号であった。乗車した一行はどうにか哈爾賓《ハルピン》を発《た》ったが、列車は新京《しんきょう》方面へ向かわず、なぜかソ満国境方面へと北上していた。運行を指示する関東軍の目的は何なのか。途中、乗客を増やし、ソ連軍や抗日ゲリラに次々と襲撃されながら、あじあ号は満洲の地を疾走する。本作は第一級の鉄道冒険ものであると同時に、謎と論理の本格ミステリとしても一級品だ。なにより、一九四三年に運行停止したあじあ号を再び満洲に走らせる奇想にこそ拍手を送りたい。

第9弾は、本格ミステリ大賞および日本推理作家協会賞を同時受賞した、当時の著者の集大成的作品。宿命城での三重密室殺人、化石人骨を載せた列車の消失、密室状況で古代戦車に轢き殺された死体……平成元年、夫を喪って失意に暮れていた萩原桐子《はぎわらきりこ》は、善知鳥《うとう》良一《りょういち》なる青年の遺した手記および未完の小説「宿命城殺人事件」を媒介に、時空を超えて五十年前の満洲へと迷い込んでいく。作中でリフレインされる〈この世には探偵小説でしか語れない真実というものがあるのも、また事実であるんだ〉という言葉を体現するように、本作は探偵小説形式によって大文字の歴史を記述することを志向したものだ。その試みは、ポスト・トゥルース時代の今こそますます重要性を増しているだろう。

第10弾は原題『楽園の蝶』を文庫刊行時に改題したもの。社会主義思想に染まり検挙された朝比奈英一《あさひなえいいち》は、拘留中に転向を宣言、釈放後居場所を失った日本を離れ、脚本家として満映で働き始める。散々ボツを食らった挙句、英一は監督の指示により、現地スタッフの陳文《ちんぶん》とともに探偵映画の脚本を書くことになった。しかし、撮影所内では奇妙な騒動が続く。英一は新京という街について〈張りぼての映画のセットのようだ〉と独白するが、では満映という舞台装置は満洲でいかなる役割を担っているのか。事件の真相が暴かれたとき、それも自ずと明らかになる。

『時の誘拐』『時の密室』に続く「時」シリーズ三作目を**第11弾**に収録。一九四一年、哈爾賓の新聞社に赴任した和智雄平《わちゆうへい》は、亡命ロシア貴族の娘ターニャと出会って恋に落ちる。だが、ターニャ一家は突如不可解な状況で姿を晦《くら》まし、彼女もまた消息を絶ってしまう。その約七十年後、政権交代が現実のものにならんとしたまさにその時、地震予知情報に基づく非常事態宣言が発令された。同日、弁護士の森江春策《もりえしゅんさく》のもとに、〈日本分断〉と告げる謎の電話がかかってくる。震災描写は無論のこと、作中で描かれる非常事態や老人ホーム襲撃、選挙における不正などの出来事も、今読むとよりいっそう虚実が交錯し、生々しく感じられるはずだ。現代で巻き起こるそれら全ての事態が、戦前の満洲に端を発しているというのも、現実の似姿のようで興味深い。

第12弾は、本叢書で唯一の連作短編集。憲兵を殴ったことで満鉄調査部に飛ばされた元海軍士官候補生の湊春雄《みなとはるお》は、即日満映に出向し、理事長の甘粕正彦《あまかすまさひこ》を内偵するよう命じられた。機密フィルムを持たされ、大連からあじあ号に乗り込んだ春雄はそこで、正体不明の便利屋・西風《にしかぜ》と出会い、やがて数々の事件に巻き込まれていく。

ここに描かれるのは、『幻影城市』の満洲観をポジティブに反転してみせたものだと言えるかもしれない。満洲国は夢であり虚構であり、満映はその縮図だ。ゆえにそれを信じるというイロニー。それこそが、近代日本の「青春時代」を支え、本作を青春ミステリたらしめているものだろう。

第13弾の『紅子』は『紅の匣子槍』と同じく女性主人公の馬賊ものであるが、読み心地はまったく異なっている。一九四四年、馬賊「黄威《ホアンウエイ》」の谷に関東軍の偵察機が突っ込んできた。操縦していた医師の吉永紅子《よしながべにこ》から、匪賊《ひぞく》に攫《さら》われた現地の子供たちを助けてほしいと依頼された攬把《ランパ》の黄尚炎《ホアンシャンイエン》は、金のためにこれを引き受ける。一方、関東軍特務機関の黒磯《くろいそ》少佐は、甘粕正彦から密命を受け、日本の敗戦を見越して隠匿した金塊を回収すべく間島《かんとう》へ向かった。やがて彼らの運命は、思わぬ形で交錯する。物語の中心に紅子という強烈なキャラクターが居座って、感情のままに驀進《ばくしん》していくさまが心地よい。凄惨な事態が起こっていてもどこかカラッとしたライトな文体は、重苦しい時代の空気に抗しうるかけがえのないものだ。

最後に、本稿の雑誌掲載後に刊行された**伊吹亜門《いぶきあもん》『幻月と探偵』**、**山本巧次《やまもとこうじ》『満鉄探偵　欧亜急行の殺人』**、**小川哲《おがわさとし》『地図と拳』**を第14～16弾に加え、本叢書を締めくくる。

諸事により本叢書に採れなかった作品もいくつか紹介したい。松《まつ》本清張《もとせいちょう》の絶筆作『神々の乱心』は、未完ながら満洲に起源をもつ新興宗教団体「月辰会《げっしんかい》」の陰謀を描いた大作。「大連阿片事件」といった史実も作中で重要な役割を占めている。村上春樹《むらかみはるき》『ねじまき鳥クロニクル』は、ノモンハン事件や新京動物園での虐殺など満洲における暴力を語るとともに、ミステリ的興趣を多分に含んだ作品だった。大連育ちで満洲電業に勤め、一九四八年に帰国した石沢英太郎《いしざわえいたろう》の短編集『さらば大連』は、ミステリらしいミステリこそ先述の『外地探偵小説集』にも取られた「つるばあ」くらいだが、収録作のいずれも故郷の喪失を主題としており、国家とは何か考えさせられる。実在の馬賊・伊達順之助をモデルに描かれた檀一雄《だんかずお》『夕日と拳銃』も、「日本の戦後冒険小説の名作」（北上次郎《きたがみじろう》『冒険小説ベスト100』）と評される満洲ロマンのクラシックだ。

全九巻にも及ぶ船戸与一《ふなどよいち》の絶筆作『満州国演義』は、とある兄弟たちの目を通して満洲国の興亡を描いた圧巻の大河小説。また、満洲事変以前を描いた作品としては、ロシア内戦中の哈爾賓が舞台の夢野久作《ゆめのきゅうさく》『氷の涯』や、浅田次郎《あさだじろう》「蒼穹の昴《そうきゅうのすばる》」シリーズ（とりわけ張作霖《ちょうさくりん》を主人公とした『中原の虹』）、張作霖爆殺に端を発する破格のカーチェイスものにして景山民夫《かげやまたみお》の小説デビュー作『虎口からの脱出』などがある。

推理作家自伝的小説集成（国内編）

嵩平何

個々の作家やミステリというジャンルについて研究を進める際には、創作物と並行して周辺書――特に個別の作家については自伝や伝記類などを資料として活用するのが一般的であろう。だがたとえ著者自身による自伝であっても、周囲への配慮などから〝嘘〟や語り落としが含まれてしまうのは否めない。自伝ではなく、自伝的小説や自伝小説として発表するにあたっては、小説の方が売れる・書きやすい・事実確認の手間が省けるなどの事情もあろうが、フィクションという体裁の自伝的〝小説〟という形を取ることではじめて語れる真実というものも確かに存在するのだ。また私が確認した限りでは、自伝的小説は周辺書リストにはほとんど掲載されず、かつミステリ関連のものについては纏まった資料が存在していないいため、今回の集成は好事家《こうずか》にとって貴重な贈物になるのではないかと期待している。

ミステリ作家は一般文芸や純文学作家と比較して、私小説や自伝的小説の類いをあまり残していない。だが事件を主とした私小説的な作品や、私小説的な要素をミスリードに活かした作品、それ以外にもメタミステリとして現実のものを取り込んだ作例は意外に多い。ただ今回の選集ではあくまでもノンフィクション的な部分を主眼としており、虚構性が強いものはあまり取り上げていない。結果ミステリとして楽しめる作品は一部のみだが、読み応えはミステリ作品に決して劣っていない。

では以下にラインナップを挙げよう。

第一巻　成長編

『青雲の軸』（陳舜臣《ちんしゅんしん》）
『オサムの朝《あした》』（森詠《もりえい》）
『喜嶋先生の静かな世界』（森博嗣《もりひろし》）

第二巻　青春・恋愛編

『女人白道《びゃくどう》』（戸川昌子《とがわまさこ》）
『わが鎮魂歌』（梶山季之《かじやまとしゆき》）
『1960年　恋文《ラブレター》』（井口泰子《いぐちやすこ》）
『歩くと星がこわれる』（森雅裕《もりまさひろ》）

第三巻　性愛編

「作家の喧嘩」『流行作家』（川上宗薫《かわかみそうくん》）
『小説家』（勝目梓《かつめあずさ》）
『愛の夜　孤独の夜』（藤原審爾《ふじわらしんじ》）
『おお 季節よ 城よ』（中田耕治《なかたこうじ》）

第四巻　戦争編

『山河ありき』（有馬頼義《ありまよりちか》）
『裸の背徳者』（黒岩重吾《くろいわじゅうご》）
『山河哀号』（麗羅《れいら》）
『黒パン俘虜記』（胡桃沢耕史《くるみざわこうし》）

第五巻　暗黒編

『ある小説家の思い出』（橘外男《たちばなそとお》）
『詩人の家』（笹沢左保《ささざわさほ》）
『やくざもの』（抄）（小川竜生《おがわたつお》）

『ボダ子』（赤松利市《あかまつりいち》）

第六巻　仕事編

『春のとなり』（泡坂妻夫《あわさかつまお》）
『活字狂想曲』（倉阪鬼一郎《くらさかきいちろう》）
『東京物語』（奥田英朗《おくだひでお》）
『粘膜黙示録』（飴村行《あめむらこう》）

第七巻　作家誕生編

「冬日の道」（水上勉《みずかみつとむ》）
『転々丸漂流記』（森九又《もりくまた》）
『努力しないで作家になる方法』（鯨統一郎《くじらとういちろう》）

第八巻　翻訳家・編集者編

『十字路をゆく』（土屋光司《つちやこうじ》）
『浪漫疾風録』（生島治郎《いくしまじろう》）
『片隅の人たち』（抄）（常盤新平《ときわしんぺい》）
『夢の砦』（抄）「半巨人の肖像」（小林信彦《こばやしのぶひこ》）

第九巻　ミステリ編

『人間の渦』（福本和也《ふくもとかずや》）
『ゴールデン街コーリング』（馳星周《はせせいしゅう》）
『黄金《きん》色の祈り』（西澤保彦《にしざわやすひこ》）

第十巻　幻想編

『巫女の棲む家』（皆川博子《みながわひろこ》）
『闇彦』（阿刀田高《あとうだたかし》）
『幻日《げんじつ》』（高橋克彦《たかはしかつひこ》）

『嘘猫』（浅暮三文《あさぐれみつふみ》）

第十一巻　文学編

「父系の指」『半生の記』（松本清張《まつもとせいちょう》）
『わが六道の闇夜』（水上勉）
『離婚まで』（藤本《ふじもと》ひとみ）
『わたし』（坂東眞砂子《ばんどうまさこ》）

第十二巻　中・短編集

「彼」（江戸川乱歩《えどがわらんぽ》）
『或る年の記念』（抄）（松本泰《まつもとたい》）
「黒い靴」（松本恵子《まつもとけいこ》）
「あおい壁」（仁木悦子《にきえつこ》）
「不思議に生命《いのち》ながらえて」（石沢英太郎《いしざわえいたろう》）
「イエスタデイ」（清水義範《しみずよしのり》）
「無職の空」（石田衣良《いしだいら》）
「まりも日記」（真梨幸子《まりゆきこ》）
「最後の挨拶」（小林《こばやし》エリカ）
「少女を埋める」（桜庭一樹《さくらばかずき》）
「ラザロの旅」（栗本薫《くりもとかおる》）
「自伝的小説リスト」「読書ガイド」（嵩平何 編）
「年譜」

第二期として翻訳作家編も計画しているが、読者の協力なくしては実現不可能な企画である。ここでは二期の候補作家だけ挙げておこう。ヴィドック、コナン＝ドイル、クリスティー、ダニエル・ネイサン、ハメット、シムノン、マクベイン、ウェストレイク、Ｇ・グリーン、ル・カレ、Ｆ・ブラウン、エルロイ、ハイスミス、ジョバンニ、ジム・トンプソン、トレヴェニアン、ロアルド・ダール、ジャック・ヒギンズ、ユーナック、エーコ、Ｆ・クラウザー、カーシュ、アヴリーヌ、ケストナーなど。他にも多くの作家を追加予定。

一巻：この巻は著者の成長や変化が強く見られる作品を選んだ。『**青雲の軸**』は台湾人の家族とともに神戸で生まれ育った少年の成長と、社会が戦争に向かっていく日々が描かれる。特殊な情勢の中、日本人かつ台湾人でもある彼の揺れ動くアイデンティティが見所。『**オサムの朝**』では様々な別れを通じて少年の繊細な心が揺らぐ。『**喜嶋先生の静かな世界**』は人との出会いや新たな気付きを通して、自分の好きなことを見つけ、研究というものにのめり込んでいく日々が描かれる。他にも同著者には私小説的な「水柿助教授」シリーズがある。

二巻：この巻のテーマである青春と恋愛は大部分の自伝的小説に含まれる要素であるため、多くの候補作の中から四作に絞り込んだ。自伝的小説はその虚構性の低さゆえ、似たような青春エピソードばかりで、印象が薄い作品が多かったのも収録作を絞った理由である。『**女人白道**』はどこまで現実に即しているのかは不明だが、自身の戦争体験と、情念溢れる恋愛を伴う芸能界への道が描かれる。『**わが鎮魂歌**』は病で人生の計画が狂いながらも、妻・美那江《みなえ》との恋愛や結婚生活を成就させていく話。作風のイメージとは異なる実生活の一側面が窺える。『**１９６０年　恋文**』は大変珍しい来簡形式の自伝的小説。密かな想いを寄せる文通相手が徐々に学生運動にのめり込んでいく様子が描かれている。『**歩くと星がこわれる**』は不器用で狭量な生き方しかできない著者の芸大生活などが描かれる。それらはハードボイルドにも通じる乱歩賞受賞以後の森雅裕の生き方を予見させる。

三巻：男性作家はその自伝的小説の中で女性遍歴を語る傾向があるが、特に流行作家はその奔放な性生活までもあけすけに記すことが多い。『**流行作家**』の著者もその筆頭だろう。作品の肥やしにすべく、数多の女性と関係を結んでいく作品だが、意外にも心情描写は多彩で深く、かつて親友であった水上勉との確執も描かれる。そのきっかけとなった短編「**作家の喧嘩**」を附したが、その報復として書かれた「好色」（水上勉）を読めばより煽情的な興味が満たされることだろう。『**愛の夜　孤独の夜**』は冒頭部の展開や「〜でした」などの雰囲気ある語り口がゴシック小説を思わせ、幻想小説的な印象も抱くが、流れ自体は女性遍歴であるためこの巻に収録した。『**小説家**』は小説と女に憑かれた男の一代記だが、道を外れての炭鉱生活に始まり、純文学から大衆小説への転向など、何度か大きな転機が訪れ、その展開で読ませる。『**おお 季節よ 城よ**』は戦争が絡み、翻訳者との交流やデビューまでの道も描かれる盛りだくさんの内容だが、副題に「私のヴィタ・セクスアリス」とあるため、この巻に収録した。

四巻：今回取り上げた作家の多くが否応なしに巻き込まれ、生活とその後の人生に大きな影響を残したあまりにも凄惨な出来事、それが太平洋戦争である。この巻には戦争の恐ろしさを異なる観点から描いた四編を収録した。『**山河ありき**』は華族の政治家の家に生まれ、天皇とも政権の中枢とも近い位置にいながら、一兵隊として戦地へ赴いた経験のある作家の自伝的作品。幼い頃からの出来事や従軍中の話は『少年の孤独』がより詳しいが、戦時中の出来事を中心に据えた本作をこの巻に選んだ。『**裸の背徳者**』は軍隊生活とその後の逃亡生活で、人間の醜い姿を描き出す。創作された展開も多いようだが、著者の筆から人間は極限状態になれば歪んだ裸の本性が顔を出すのだという強い確信が伝わる。『**山河哀号**』は日本の帝大に通う朝鮮人の葛藤と犠牲が描かれる。日本や朝鮮半島で起こったこと、そして現実そのままではないが、自身の経験が形を変えて描かれている。『**黒パン俘虜記**』は厳密に言うと戦争中ではなく、戦後の過酷なモンゴル抑留生活が語られる。その中で芸は身を助け、生還を果たす。実在の事件の記録としても重要な本であるらしい。

五巻：犯罪や暴力などが大きく取り扱われた作品をこの巻には収めた。『**ある小説家の思い出**』の著者には『私は前科者である』という前科者ゆえの労苦を告白した本があり、本書はその姉妹編的な作品だ。学校での問題と家族間の確執、そして罪を犯すに至る過程が劇的な展開で描かれる。『**詩人の家**』は日本を代表する推理作家の衝撃の遍歴と武勇伝の数々――ヤクザ一歩手前に行き着いたことまでが記されている。作家誕生に繋がる大事故も含め、壮絶な人生がこの作品に書き残された。『**やくざもの**』は本人の作風ばりのハードな作品。家族の死などを契機に、暴力や犯罪に手を染めていく転落の日々が語られる。『**ボダ子**』は金銭的な成功者としての著者が、娘の障害・東日本大震災等の周囲の厳しい現実や自身の選択の結果、己の欲とともに翻弄されていく姿が語られる。同時期を描いたルポ『下級国民A』との併読も薦めたい。

六巻：この巻には作家になる前の仕事生活を中心に描いている作品を集めた。『**春のとなり**』はプロットに創意や起伏が少ない自伝的小説分野の中でも、建設・金融業に勤しむ日々を記した特に地味な内容だが、著者のミステリや奇術との出合いなどは興味深い。『**活字狂想曲**』は面白&奇天烈エピソード満載の校正仕事記。『**東京物語**』は東京の大学に入り、コピーライターとして成長していく姿を時代風俗とともに描いた作品。『**粘膜黙示録**』は戦前生まれ作家に匹敵する悲惨譚ながら、独自のユーモアに溢れ、著者の作風の原点が見える。

七巻：この巻では自伝的小説の中でも特に読者の興味を惹きそうな、作家になるまでの流れを中心に据えている作品を収録した。「**冬**

日の道」は編集者や洋服屋などを経て、人気作家になるまでの話。心情描写こそ自身の他の自伝小説には劣るが、他の作家との交流などを記した資料として重要である。『**転々丸漂流記**』の作者、森九又は明朗小説などを得意とした三橋一夫《みつはしかずお》の筆名だ。戦争体験や貧困などの悲惨な経験を多くの作家は悲愴な語りで読者に訴えかけるのだが、本作は常に明朗とした筆致で描かれていて、家族三人で迷走しつつも、確実に前に進む姿を描く、選出作中随一の好編である。姉妹編に学生時代から老年までを詳細に描いた自伝色の強い「新転々丸漂流記」がある。学生時代の西欧留学経験を描いた『天国は盃の中に』も快男子三橋一夫の珍道中を堪能出来る快著。『**努力しないで作家になる方法**』は一読すれば題名の意味が一転し、感動的な想いに包まれる。後に世に出る作品の種を潜ませているのも嬉しい。続編の『作家で十年いきのびる方法』ではミステリ作家になった後の苦闘が窺える。

八巻：この巻には翻訳家・編集者の活躍や仕事上の交際が記された、ミステリ資料として重要な作品を並べた。『**十字路をゆく**』の著者は主に戦前に活躍した翻訳家だが、ミステリ関係の話題が多く、乱歩や大下宇陀児《おおしたうだる》らとの交流も描かれている。『**浪漫疾風録**』は早川書房の編集者となった作家による貴重な自伝的小説。他の編集者や翻訳家・新人作家ら、ミステリの時代を築いた人々の活躍が描かれる。最初の妻、小泉喜美子《こいずみきみこ》との関係も読みどころだ。本作のプロトタイプである「浪漫渡世」や続編の『星になれるか』も併せて読みたい。著者には他に後妻との恋愛を中心とした片翼シリーズもある。『**片隅の人たち**』は早川書房の編集者を務めていた常盤による連作で、読み通していくことで同時代の翻訳家たちの横顔が浮かび上がってくる。『**夢の砦**』の著者は疎開時のいじめを描いた『冬の神話』など、多くの作品に自伝的要素を含ませているが、ヒッチコックマガジンの編集長時代を最も精緻に語った小説作品が本作である。虚実ない交ぜゆえ取り扱いには注意が必要だが、貴重な資料であることには変わりない。大著であるため、雑誌編集に絡む部分のみを抜粋して収録した。『1960年代日記』『東京のドン・キホーテ』などが副読本としてはオススメである。小林には『四重奏《カルテット》』という、より虚構性の低い自伝的短編集があり、そこからは人間・乱歩について語った「**半巨人の肖像**」を収録した。

九巻：この巻にはミステリ要素を具えた自伝的作品を収めた。『**人間の渦**』は母の半生を追うというミステリ的な構図とともに、著者自身の自伝的側面も挟まれる面白い構成の作品。ノンフィクションに近いからこそ描けるラストが印象深い。『**ゴールデン街コーリング**』では内藤陳《ないとうちん》との付き合いを通じてハードボイルドへの失望からノワール的な小説に惹かれていくようになる著者の気持ちの変化が興味深い。更にゴールデン街の事件を経て、彼に大きな変化が訪れる。『**黄金色の祈り**』は自伝的小説という枠組みを本格ミステリに昇華した、叙情と技巧が融合する至高の裏傑作。

十巻：幻想味がある自伝作品は少数派ながら、いずれも強い印象を残す。『**巫女の棲む家**』は降霊術を行っていた父の霊媒としての経験が反映されたサスペンス。『**闇彦**』は自身の自伝的要素と常に近くにある闇彦という謎めいた語りのあやかしの存在を混ぜ合わせた作品。『**幻日**』はホラータッチの作品も含むエンタメ色が強い自伝的短編集。終盤は作家になるまでの苦労譚の要素が全面に出てくる。『**嘘猫**』は自宅に潜り込んだ猫たちとの共同生活がファンタジックに描かれる。

十一巻：ここでいう文学とは、自伝小説を通じて人の心を丹念に掘り起こした作品のことを示している。ゆえにこの巻の収録作は心理サスペンスとしても楽しめる作品が多い。「**父系の指**」と『**半生の記**』は清張の貴重な自伝小説。面白みのない青春時代と自身で語り、私小説的な作品をほぼ書かなかった清張だが、そんな青春時代でさえも、清張の手にかかれば一級の小説に仕立てられるのには驚かされる。また『戦い続けた男の素顔』（宮部《みやべ》みゆき編）は清張の私小説的な作品を纏めた一冊で、フィクションに形を変え清張自身もあぶり出されている。『**わが六道の闇夜**』は人間・水上勉に焦点が当てられている。村での極貧生活ののちに仏門に入れられ破門、そして女性たちとの関係を経て辿りついた死生観に言葉を失う。『**離婚まで**』は自分勝手に生きている夫に対する鬱憤と時間を奪われ続けることへの焦燥が丁寧に描かれ、クリスティーが変名で書いた『春にして君を離れ』を好きな方に特に薦めたい。『**わたし**』はこの集成の大きな目玉だ。悪夢の戦争体験などのような壮絶な経験を持たずとも、ノワールのような強烈な人生を歩まずとも、彼女の心情の吐露は何よりも心をえぐる。

十二巻：本巻には今までの巻には収録しきれなかった中・短編を集めた。分量が少ない分、資料を充実させている。「**彼**」では自分について誰よりも多く客観的に語ってきた乱歩が、三人称でより突き放して〝乱歩〟の履歴を分析する。『**或る年の記念**』は英国生活を切り取ったスケッチ的な作品を多く収録。虚実の判断が難しい。「**黒い靴**」は夫・松本泰との英国での出会いを小説化したもの。「**あおい壁**」は自身の性別や職業を変えているが、病に罹った幼い頃から夫の後藤安彦と付き合うまでを描くかなり事実に即した小説らしい。設定を置き換える点などは「仁木兄妹」シリーズを思わせる。「**不思議に生命ながらえて**」は敗戦後の大連で憎悪に駆られた中国人から命を狙われた話。本作を含む『**さらば大連**』は石沢の外地における経験が色濃く出た作品集。「**イエスタデイ**」は学生時代に出会った小説を書く同志との挿話。清水義範も水上勉や黒岩重吾らと同様に自伝的小説を多く手掛けた作家で、詳細は『「青春小説」』のおまけを参照のこと。「**無職の空**」は会社を辞めた清々しさがよく伝わる作品。「**まりも日記**」は窮する中での愛猫との出会いが描かれる。「**最後の挨拶**」はシャーロキアンの両親を持つ娘が、父の最期までの日々をホームズへのオマージュを込めて記す。「**少女を埋める**」は母を守るため信条と相反する言葉を口にする著者の葛藤が胸に迫る。「**ラザロの旅**」は生前未発表作で、《書キタイ》という妄執と自分を取り巻く世界とのズレを生々しく描いている。また巻末には附録として、編者によるミステリ関連自伝的小説リストと、個々の作家の自伝や回想録、伝記などの書籍・参考文献リストを挙げ、この叢書に収録された作家全員の年譜も掲載する。収録した小説と併せて読めばより理解が深まることだろう。

「陰謀論的想像力」とミステリ

荒岸来穂

雑誌『現代思想』２０２１年5月号の特集タイトルは「「陰謀論」の時代」だったが、たしかに、これほどまでに国内外問わず陰謀論が注目される時代はいままでなかったのではないだろうか。

２０２０年、アメリカ大統領選でのＱアノンの異様な存在感と、トランプ支持者が議会へ突入する映像に、多くの人が陰謀論を社会問題だと認識したことだろう。国内に目を向けても、ワクチンに関するデマや元首相暗殺にまつわる「真相」など、陰謀論は現在進行形で社会問題として大きな影を落としている。

一方で、陰謀論は現代に突如としてうまれたものではなく、歴史的に常に存在してきた現象である。またサブカルチャー・ポップカルチャーの中で陰謀論は人気のコンテンツとして消費されてきたことも忘れてはならない。ＵＦＯやフリーメイソンをたびたび扱う雑誌『ムー』は最もわかりやすい例だろう。その『ムー』が作中に登場し、オカルティズムがテーマの一つであった『天気の子』のヒットも記憶に新しい。

陰謀論は古くから人々に親しまれてもきた。もし現代で陰謀論が問題となるのであれば、それは陰謀論が持つ蠱惑的な魅力それ自体が問題なのではなく、その影響が政治や社会に表れるような環境こそが問題なのだ。

そしてそのような問題意識に立ったとき、ミステリは陰謀論を考えるうえで格好の題材となる。それは「謎を解き明かしたい、真相を明らかにしたい」というこのジャンルの根幹にある欲望は、時として陰謀論を信じる動機へと転化するからだ。

我々は陰謀論が人々を魅了してやまない理由、それを考え直さなければならないのではないか。一部の人間だけが惑わされるのではなく、自分にとっても陰謀論は身近なものである、そうした認識のもとで一度ミステリを含めた大衆文化を捉えなおす必要を選者は感じている。

この選集では、人々が「陰謀が存在する」と信じ込んでしまう心理状態とメカニズムを「陰謀論的想像力」と呼び、その力と密接にかかわるミステリをピックアップした。

「陰謀」そのものではなく「陰謀論的想像力」と名付けたものに焦点を当てていることに注意してほしい。つまり、作品の中に陰謀（世界を裏から操る組織や謀略など）が登場するかどうかは関係がない（その点で、警察小説と陰謀について論じた熊木淳が「公安小説」と呼んだものとは異なる）。「陰謀があるのではないか」と考えてしまう想像力、それがこの選集の核となるテーマであり、そしてミステリというジャンルがもつ魅力の源泉のひとつなのではないだろうか。隠された真実、無関係に見える事象同士の結びつき、複雑な世界がある一つのパースペクティブから説明される快感。これらの要素はミステリの魅力であると同時に陰謀論の魅力でもある。

　ラインナップは以下のとおりである。これから各巻の紹介も行うが、ある程度各作品の内容に踏み込んだものであることをご承知いただきたい。

第一巻　誇大妄想《パラノイア》の魅力

ダン・ブラウン『ダ・ヴィンチ・コード』
清涼院流水『コズミック』

第二巻　接続の快感

米澤穂信『秋季限定栗きんとん事件』
エラリー・クイーン『十日間の不思議』

第三巻　偶然を超越して

山田風太郎『太陽黒点』
G・K・チェスタトン「ガブリエル・ゲイルの犯罪」
貫井徳郎『乱反射』

第四巻　正史と偽史の狭間で

ジョセフィン・テイ『時の娘』
高井忍『本能寺遊戯《ゲーム》』

第五巻　探偵／陰謀論者のアイデンティティとコミュニティ

詠坂雄二『亡霊ふたり』
道端さっと『明智少年のこじつけ　1』
麻耶雄嵩『化石少女』

第六巻　陰謀の魅力に抗う

法月綸太郎『ふたたび赤い悪夢』
米澤穂信『王とサーカス』

　そもそも「誰にも知られていない隠された真実を追い求める」という点で、探偵と陰謀論者は共通した使命をもつ。個別の殺人事件の捜査をしている探偵からは想像しにくいが、第一巻の二作のような世界規模の大事件と探偵が向き合うとき、その差異は驚くほどに曖昧になる。『ダ・ヴィンチ・コード』は陰謀論者の思考と探偵の謎解きが本質的に相似のものであることを示す最たる例だろう。ラングドン教授は事件解決のために、ダ・ヴィンチの絵画に隠された聖杯伝説にまつわる暗号を見出していくが、その推理と陰謀論者の誇大妄想の差は、その世界で真実だと認定されるか否かだけかもしれない。

　パラノイックな妄想がミステリとなりうる可能性を示した作品として、国内作品からは『コズミック』を代表として挙げることができるだろう。本格ミステリを、名探偵と密室殺人の量的な膨張によって「脱格」という異様な形に変形させた本作は、それらをまとめ上げるために陰謀論的な方法を用いている。歴史的に隠蔽された黒幕、すべての元凶がそこにあるという構図は、陰謀論と同じく、とても見晴らしがよいものであるのに、あまりにも混沌としている。

「論理と証拠を重視するミステリが、どうして陰謀論と結びついてしまうのか」、このような疑問を抱いた読者もいるかもしれない。たしかにハワード・ヘイクラフトの「探偵小説＝市民文学論」のような見立ての下では陰謀論と探偵小説は結びつきにくいかもしれない。「証拠に基づいた近代科学としての推理」による証明は、薄弱な根拠をもとに主張される陰謀論とは無縁に見える。しかし、いわゆる「後期クイーン的問題」や「多重解決ミステリ」の存在は、推理が客観的な証明ではなく、探偵の主観によって導かれた結論であることを示している。そもそもミステリにおける証拠や手掛かりとは、本当に陰謀論とは違って確固たるものなのだろうか。証拠や手掛かりは、探偵がそうだと思い込んだからこそ存在する。偶然でしかないものにも意味を見出してしまう、その瞬間の快感を探偵と陰謀論者は共有する。

ところで、Ｑアノンの陰謀論の構造は「ゲーミフィケーション」と呼ばれている。Ｑのメッセージは明確なものでなく、暗号的な文章で発せられる。これを解き明かそうと信者は謎解きに没頭する。彼らはＱのメッセージを手掛かりに（無関係だが、関連性を見出しうる）点と点を結びつけ、陰謀を暴くゲームを行っている。

第二巻の二作は、この点と点を接続する快感とその危うさを問題にしている作品といえるのではないだろうか。推理が作り出してしまう「関係の図式」、後期クイーン的問題とはつまるところ陰謀論の問題なのかもしれない。

陰謀論者は点と点を結びつけることによって陰謀の全体像を見出そうとする。そこでは「偶然」と思われていた別々の事象は、線を引くことで「必然」へと転換する。Ｑアノンの信奉者が作成した「Ｑウェブ」と呼ばれるダイアグラムは彼らの世界観を図式化したものだが、この世のあらゆる事象が因果によって結びつけられ、そこに偶然が介在する余地はない。第三巻所収の『太陽黒点』のある計画が、ある種陰謀論めいている理由もここにある。何気ない物事の連鎖が、実は偶然ではなく、ある目的のために巧妙に仕組まれた犯罪計画であることが判明する。本来さまざまな事象が複雑に絡みあうはずの国際関係を、犯人がとても単純かつ平面的なものとして捉え、個人を国家に見立てている点も、この計画が陰謀論者による誇大妄想の具現化のように見える一因である。

『太陽黒点』における「偶然」から「必然」への転化は、犯人によって人為的に引き起こされたものである。陰謀論者はこのような計画が現実にも起きていると主張するが、実際にはそのようなことは稀である。彼らは「偶然」を「必然」だと「信じ込む」。しかし、そのような経験は誰しもあることではないだろうか。例えば自分を「雨男／女」だと思い込むことは、そういった思考のとてもミニマルな形態といえる。「ガブリエル・ゲイルの犯罪」で描かれるソーンダーズの思い込みは、その極地として「偶然」をすべて操れる「神」の座に自分がいるという結論に行き着く。

前の二作品と比べると『乱反射』は少し毛色が違う作品のようにも見える。陰謀論者の世界観が「この世に偶然はなく、すべてはつながっている」というものであるとしたら、『乱反射』はそうではない。むしろ「すべては偶然である」という世界観の作品である。この作品では、いくつもの無関係な事象が「偶然」重なりあうことで、最終的には一人の命を奪う事故につながる。しかし、「すべては偶然である」のに「すべてがつながる」というこの作品ほど、パラノイックなミステリもないだろう。主人公の加山が最後にたどり着いた「すべての罪が息子の死につながっている」という結論は、正しいか否かではなく、もはや妄執に取りつかれているように見える。日本推理作家協会賞の講評で、北村薫はこの作品を「探偵もまた犯人であり、そこで世界が犯人となる」と評したが、世界と自己の同一化は、国家と個人を同一化させた『太陽黒点』の犯人や、神と自身を同一視したソーンダーズと通じるものがある。

陰謀論の一つの形態として歴史修正主義がある。歴史修正主義者はアカデミックな歴史学とは別の論理で、隠された過去を暴こうとする。歴史学は史料を一つひとつ丁寧に検討することで過去を再検討していくが、史料から読み解けないことは基本的に主張しない。それゆえに歴史学の手法では説明しにくい過去が存在することは事実である。その空隙を埋めるかのように、陰謀論者は結果から逆算するような推測（例：○○が起きて得をしたのは誰か）を行い、想像力を用いて過去を再構成しようとする。

そして同じことが歴史ミステリについてもいえる。そもそも歴史学者と探偵は「過去に何が起きたか」を確定させようとする点で役割は同じであり、イタリアの歴史学者カルロ・ギンズブルグのように、「自身の研究手法はシャーロック・ホームズの推理に近い」とする研究者もいることなど、歴史学とミステリには似ている部分も存在する。しかし、やはりその厳密さなどを考えたとき、歴史ミステリは歴史修正主義的な性格を帯びていると言わざるを得ない（第一巻の『ダ・ヴィンチ・コード』もその一つの例だろう）。

例えば、歴史ミステリの嚆矢とされる『時の娘』で、グラント警部が「リチャード三世が悪人ではない」と考えるようになったのは、肖像画の絵、つまり人相によってである。またその後の推理についても推測が多い。ちなみに『時の娘』のヒットによって「リチャード三世悪人説」は見直しが進み、現在の研究ではその悪人像はある程度撤回されているようだが、これは歴史学による実証の成果であって、『時の娘』はあくまできっかけである（そもそも『時の娘』で批判されている歴史家のほとんどが、近代的な実証主義歴史学成立以前の人物である）。

そもそも、ミステリがフィクションであり、娯楽作品である以上、歴史ミステリが追い求めるのは、歴史学のような厳密性や実証性ではなく、結局、暴かれた過去の面白さである。そのことを適格に捉えているのが『本能寺遊戯《ゲーム》』だ。歴史雑誌の懸賞のために歴史の新説を議論する女子高生三人組の物語だが、あくまでも俗説から距離をとろうとする姫之と、「トンデモでも面白ければよい」というスタンスの亜沙日の対比は、そのまま歴史学と歴史ミステリ（陰謀論）の対比と読むことができる。さらに、この作品のミステリ的な性格を考えたとき、歴史の真相についてそれぞれ推理して議論するという構造は『丸太町ルヴォワール』や『虚構推理』といった、議論によって真実が相対化する「ポスト トゥルース・ミステリ」の系譜にあると言えるが、90年代の日本の歴史修正主義が「ディベート文化を導入し、歴史を議論の対象として扱うことで歴史的事実を相対化した」という社会学者倉橋耕平の指摘を鑑みると、『本能寺遊戯』の批評性には目を瞠るものがある。

第五巻を読む前（もしくは後）に、可能であればNetflixで「ビハインド・ザ・カーブ──地球平面説」という地球平面論者（フラットアーサー）についてのドキュメンタリーを見てもらいたい。そこで描かれるのはフラットアーサーたちによる（どこか暖かさすら感じる）コミュニティの存在である。彼らは試行錯誤を重ねながらなんとか地球が平面であることを証明しようとし、コミュニティの仲間とともに幸せそうに暮らしている。彼らにとって陰謀論はアイデンティティとなり、コミュニティや人間関係維持のために必要なものとなっているのである。

翻ってミステリ（特に青春ミステリ）にも、探偵という存在にアイデンティティを求め、探偵存在の意味や、推理をすることで生まれる人間関係やコミュニティが主題となる作品が多くある。

『亡霊ふたり』は「名探偵の資質とは、謎を解き明かす能力より、謎に出会う能力」だと考え、日々謎に出会おうとしている名探偵志願の若月ローコと、高校在学中にローコを殺すことを目標としている殺人者志望の高橋和也の物語だが、何とか謎に出会う＝何気ない日常に謎を見出そうとするローコの姿は陰謀論者のようだともいえるし、ローコと和也の奇妙な関係は、探偵という存在がなくては成り立たない、人間関係と探偵存在がつよく結びついている作品である。

『明智少年のこじつけ』は『亡霊ふたり』以上にコミュニティの核に探偵の推理が据えられている作品である。明智京太郎は学校で起きる事件について推理するが、その推理は毎回「助手の小林が犯人である」という結論を導く（当然、誤った推理である）。しかし、すべてが小林のせいであるという陰謀論的「こじつけ」は、物語のラストで「コミュニティがずっと続いてほしい」という明智少年の願いが込められていたことが判明する。

「コミュニティと推理」という問題系は『化石少女』にも見られる。生徒会と対立する古生物部のまりあは、学内の殺人事件を毎回「生徒会のメンバーが犯人」であると推理する（そして後輩の彰に毎回否定される）。対立している相手を犯人と定めてから推理を逆算するまりあの推理も陰謀論のようであるが、エピローグで明かされる真相と、まりあと彰の歪んだ探偵と助手の関係も、どこか陰謀論の妄想めいている。

ここまで、ミステリと陰謀論が共通した特徴を持つことを示し、そこに我々を惹きつける魅力の源泉があることを確認してきた。

冒頭でも強調したが陰謀論を楽しむことそのものが問題なのではない。さらに言えば、陰謀論的想像力のすべてが現実には存在しないとは言いきれないという点も、問題を複雑にしている。たとえば元首相の暗殺後にクローズアップされるようになった政治と宗教の結びつきは、この選集でも取り上げた某作の真相を彷彿させるものがある。陰謀論的想像力をすべて否定してしまうと、それはまた新たな問題を生み出しかねない。

しかし陰謀論が社会的な問題となりつつあるのも事実である。ならば、陰謀論と近い構造にあるミステリを通じて、陰謀論を再考することはできないだろうか。これがこの選集を編んだ最大の理由である。今までの作品を通じて陰謀論的想像力の特徴、そしてそれが現実に出現した際の問題点が浮き彫りになったのではないだろうか。

最後の選集に収録した二作は、そうした陰謀論的想像力を問題にし、それに抗おうとする作品である。推理を通じて見出してしまう「関係の図式＝陰謀」、この魅惑に打ち勝とうとする二作を、我々は現代社会と重ね合わせながら読む必要があるのかもしれない。

主要参考文献

巽昌章『論理の蜘蛛の巣の中で』講談社、二〇〇六年
巽昌章「砂漠通信」（『ユリイカ』二〇〇七年四月号）青土社、二〇〇七年
千街晶之『水面の星座 水底の宝石 ミステリの変容をふりかえる』光文社、二〇〇三年
倉橋耕平『歴史修正主義とサブカルチャー 90年代保守言説のメディア文化』青弓社、二〇一八年

藤田直哉
『娯楽としての炎上　ポスト・トゥルース時代のミステリ』
南雲堂、二〇一八年

ジェシー・ウォーカー
『パラノイア合衆国 陰謀論で読み解く〝アメリカ史〟』
河出書房新社、二〇一五年

諸岡卓真
『現代本格ミステリの研究「後期クイーン的問題」をめぐって』
北海道大学出版会、二〇一〇年

石原孝哉　『悪王リチャード三世の素顔』
丸善プラネット、二〇一三年

『現代思想』（二〇二一年五月号）　青土社、二〇二一年
特に以下の論文を主に参考にした。
・熊木淳　「〈作業〉は永遠に存在する：公安小説論序説」
・仁木稔　「文字が構築する壮大な筋書き／陰謀（プロット）」
・木澤佐登志　「Qアノン、代替現実、ゲーミフィケーション」
・倉橋耕平　「歴史修正主義の中の陰謀論：その流通の背景をめぐって」

※陰謀論的想像力とミステリについては探偵小説研究会編『CRITICA vol.17』所収の拙稿「探偵は陰謀論を夢見るのか―米澤穂信作品を中心に」でも、この選集で取り上げた米澤穂信『秋季限定栗きんとん事件』と『王とサーカス』を題材に論じている。

ここでは簡単にしか扱えなかった陰謀論と後期クイーン的問題の関係などについて詳述しているので、この選集で興味を持った方は併読していただけると幸いである。

また、二〇二三年現在、「陰謀論的探偵小説論」を『ミステリマガジン』で連載中である。こちらも合わせて読むと陰謀論とミステリの関係性について解像度が上がることだろう。

ライトノベル側から辿る21世紀特殊設定ミステリ全集

浅木原忍

二〇〇〇年十一月。二一世紀を目前に控えたそのとき、ライトノベルの老舗・富士見ファンタジア文庫の派生レーベルとして、ひとつの文庫レーベルが産声をあげた。

　富士見ミステリー文庫。ライトノベルとミステリの融合を目指したそのレーベルは、しかしあまりの玉石混交ぶりから、口さがない読者から〝存在自体がミステリー〟と揶揄された一方、迷走を続けながらも一定のファンを獲得して、〇九年の刊行終了まで色々な意味で愛されるレーベルとなった。

　そして、良くも悪くもその象徴となったのが、〇二年、自前の新人賞である富士見ヤングミステリー大賞の第一回大賞受賞作として送り出された、深見真《ふかみまこと》『ブロークン・フィスト 戦う少女と残酷な少年』の、衝撃的な密室トリックであった。

　あれから二〇年超。二一世紀の本格ミステリを歴史として振り返るとき、このレーベルの存在が顧みられることはほぼないだろう。

　だが——二〇二〇年代の今。〝特殊設定ミステリ〟と呼ばれる作品群が本格ミステリ界を沸かせ、八〇年代～九〇年代生まれの新鋭が続々と台頭しているこの〝今〟を語るためには、そこに至るまでに繰り返されてきた試行錯誤を振り返らねばならない。そしてその試行錯誤は、本格ミステリと他ジャンルの境界線上で繰り返されてきたことを、決して見逃してはならない。

　なぜなら、特殊設定ミステリとは、本格ミステリのルールと、他のジャンルのルールとのマッシュアップによって成立するものであるのだから。そして、ファンタジー、SF、恋愛、アクション——あらゆるジャンルを貪欲に飲みこむライトノベルという領域は、そんな試行錯誤の、確かな最前線だったのだ。

　というわけで本全集は「主にライトノベル側から見た特殊設定ミステリ史」をテーマに、敢えて山口雅也《やまぐちまさや》『生ける屍の死』も西澤保彦《にしざわやすひこ》『七回死んだ男』も、アシモフ『鋼鉄都市』もギャレット『魔術師を探せ！』も脇に置き、この二〇年強に、主にライトノベルと本格ミステリの境界線上で展開された特殊設定ミステリの試行錯誤を振り返るものである。

　ラインナップは以下の通り。

第〇巻　新本格リセット
清涼院流水《せいりょういんりゅうすい》『コズミック　世紀末探偵神話』

第一巻　ライトノベル・ミステリ試行錯誤①
上遠野浩平《かどのこうへい》『殺竜事件《さつりゅうじけん》』『紫骸城事件《しがいじょうじけん》』
深見真『ブロークン・フィスト』全三巻

第二巻　ゲームとしてのルールを定めよ
原作／大場《おおば》つぐみ・漫画／小畑健《おばたたけし》『DEATH NOTE』全十二巻（漫画）
巧舟《たくみしゅう》《逆転裁判》シリーズ（ゲーム）
竜騎士07《りゅうきしぜろなな》『ひぐらしのなく頃に』『うみねこのなく頃に』（ゲーム）

第三巻　ライトノベル・ミステリ試行錯誤②

第四巻

久住四季《くずみしき》『トリックスターズ』全六巻
田代裕彦《たしろひろひこ》『キリサキ』『シナオシ』

第四巻　**ライトノベル・ミステリ試行錯誤③**
飛田甲《とびたこう》『幽霊には微笑を、生者には花束を』
甲田学人《こうだがくと》『断章のグリム』一～四巻
水瀬葉月《みなせはづき》『ぼくと魔女式アポカリプス』

第五巻　**境界は融和する**
綾辻行人《あやつじゆきと》『Another』
米澤穂信《よねざわほのぶ》『折れた竜骨』
城平京《しろだいらきょう》『虚構推理　鋼人七瀬《こうじんななせ》』

第六巻　**勇者と魔王の魔法殺人事件**
山形石雄《やまがたいしお》『六花《ろっか》の勇者』一～六巻
田代裕彦『魔王殺しと偽りの勇者』全二巻
紙城境介《かみしろきょうすけ》『ウィッチハント・カーテンコール
超歴史的殺人事件』

第七巻　**ループ・転生・人狼ゲーム**
長月達平《ながつきたっぺい》『Re: ゼロから始める異世界生活』一～三巻
榎宮祐《かみやゆう》『ノーゲーム・ノーライフ』一～三巻
うれま庄司《しょうじ》『マジカル†デスゲーム』全二巻

第八巻　**新世代本格はポップカルチャーの論理を編むか**
青崎有吾《あおさきゆうご》『アンデッドガール・マーダーファルス』
一～四巻
阿津川辰海《あつかわたつみ》『名探偵は嘘をつかない』

第九巻　**ウェブ・二次創作発本格行**
今村昌弘《いまむらまさひろ》『屍人荘《しじんそう》の殺人』
八槻翔《やつきしょう》『天空城殺人事件』
片里鴎《かたざとかもめ》『異世界の名探偵』一～二巻
銘宮《めいみや》『黄金の降る場所で』（漫画）
榊林銘《さかきばやしめい》「首が取れても死なない僕らの首無殺人事件」

第十巻　**メタ・継承・その先へ**
相沢沙呼《あいざわさこ》『medium 霊媒探偵城塚翡翠《れいばいたんていじょうづかひすい》』
紺野天龍《こんのてんりゅう》『錬金術師の密室』『錬金術師の消失』
桃野雑派《もものざっぱ》『老虎残夢《ろうこざんむ》』

なお、本全集は「試行錯誤の過程を辿る」ことを目的としたものであるので、狭義の特殊設定ミステリには分類しがたい作品や、ミステリとして成功したとは言い難い作品も含んでいる。

各巻の内容を見ていこう。まず第○巻として、清涼院流水『コズミック』を収録した。本作は特殊能力的な推理力を持つ探偵が大挙して登場するという点において、漫画・アニメ的な「キャラクター設定」の要素を本格ミステリに導入しようとした試みとして、現代の特殊設定ミステリの指向性の萌芽が見られる。強い拒絶反応と同時に、熱烈に支持する若い読者を大量に生み、ライトノベルの読者層と新本格の読者層を一気に接近させたという意味でも、現代の本格ミステリへと繋がる大きな歴史の転換点として、本作こそ本全集のリードに相応しい。

第一巻には、新世紀の到来と前後して、ライトノベル方面から発表された特殊設定ミステリ二種を収めた。上遠野浩平《戦地調停《せんちちょうてい》士《し》》シリーズの最初の二巻、『殺竜事件』『紫骸城事件』は講談社ノベルスにてRPGファンタジーと本格ミステリの融合を目指した初期の作例だが、ミステリファンからの評価はそれほど芳しいものではなかった。他方、本稿冒頭にも挙げた深見真『ブロークン・フィスト』は格闘技ミステリ。全三巻それぞれに格闘技もののフィクションで頻出する技術を利用した、かなり非現実的なトリックが登場し、未だに語り草になっている。

特殊設定ミステリの文法が確立された現在、なぜ《戦地調停士》シリーズはミステリファンからさほど評価を得られなかったのか。あるいは『ブロークン・フィスト』は原理的に同じトリックを使用した評価の高い作例もあるにもかかわらず、なぜあれほど批判されたのか、どうすれば読者を納得させられたのか――といった視点から両作を改めて読み直すことは、特殊設定ミステリを成立させるために何が必要なのか、ということを考える端緒となるだろう。

第二巻には、漫画『DEATH NOTE』全十二巻と、ゲームの世界でその後に大きな影響を与えた三作を収めた。『DEATH NOTE』はルールの後出しに関する批判もあるが、デスノートというひとつのアイテムの使用法をルール化し、そのルールを駆使して探偵の目を欺こうとする犯人と、犯人の持つ特殊な能力のルールを解明することでその正体に迫っていく探偵の熾烈な頭脳戦を描いた本作が、特殊設定ミステリの思考法に与えた影響は計り知れない。

《逆転裁判》シリーズが現代本格に与えた影響については、多言を弄する必要はないだろう。現代の目から見て特殊設定ミステリと言えるエピソードは限られるものの、霊媒が存在する世界でのミステリが「アリ」であるという認識を、若い世代に植え付けた功績はあまりに大きい。

一方、『ひぐらしのなく頃に』は、プレイヤーに推理を促しながら、論理的な推理がほぼ不可能である特殊な設定を導入した真相が、ミステリとしては大きな批判を浴びた。それを受けて、『うみねこのなく頃に』はよりメタミステリ色を強めた結果、前作以上の賛否両論となった。商業的には成功を収めた一方、ミステリとしてはどちらも成功作とは言い難いが、現代でも強い影響を受けた現役作家が見られることも含め、現代の目から特殊設定ミステリの試行錯誤の一例として捉え直すことには意義があるはずだ。

漫画・ゲームの分野ではこうした商業的な成功作が生まれていた一方、ゼロ年代半ば、ライトノベルの世界では、特殊設定系のミステリ作品はその難しさに直面していた。特殊な設定のない青春ミステリ方面では、野村美月《のむらみづき》の〝文学少女〟シリーズなどの成功作が出ていたが、西尾維新《にしおいしん》の《戯言シリーズ》や、うえお久光《ひさみつ》『悪魔のミカタ』などの特殊設定的な要素を導入した作品は、シリーズが続くほどに活劇方面にシフトしていった（これは『ひぐらし』も同様の側面がある）。それを象徴するように、〇三年末、富士見ミステリー文庫は〝L・O・V・E！〟をキャッチコピーに、恋愛重視の路線に舵を切る。この富士見ミスのミステリへの一種の決別宣言は、ライトノベル読者に受け入れられる作品の充実という意味では成功したが、大元である富士見ファンタジア文庫から独立している意味合いを薄れさせ、結局は〇九年の刊行終了へ繋がっていった。

　そんな状況の中でも、ライトノベル的な設定とミステリの融合を目指した試みは続けられていた。そうしたゼロ年代の試行錯誤のうち、明確に現在でいう「特殊設定ミステリ」を志した二作を第三巻に収めた。久住四季『トリックスターズ』は、魔術の存在する世界での本格ミステリという、現代的な意味での特殊設定ミステリに果敢に挑み、全六巻を通して本格ミステリであることを貫き通した作例である。読者の反応を作中にフィードバックしながら、一定の成果を挙げたこのシリーズの先駆性は、今こそ高く評価されるべきだ。また恋愛重視に転換した時期の富士見ミステリー文庫からも、特殊設定ミステリの試みの意欲作は発表されている。田代裕彦『キリサキ』『シナオシ』は、商業的な成功とまではいかなかったが、現代に繋がる試行錯誤のひとつの成果である。

　第四巻は同じくゼロ年代の作品群から、おそらくは作者が「特殊設定ミステリ」をさほど強く企図してはいなかったと思われるが、結果として特殊設定ミステリとして注目すべき作品となっている三作を収めた。『幽霊には微笑を、生者には花束を』は、心霊現象を信じない主人公が幽霊の少女と出会い、彼女の事件の謎を追う青春ミステリだが、発生している現象の法則性について徹底して理詰めで検証し、そのルールを元に謎を解くという、特殊設定ミステリに必要な手続きをしっかり詰めている点において、非常に重要なライトノベル発の特殊設定ミステリと言える。

『断章のグリム』は童話をモチーフにした怪奇現象に立ち向かう少年少女の戦いを描いたホラーだが、「発生する現象は必ず童話をモチーフにしている」というルールに基づき、実在する童話の再解釈を通して現象の中心となっている犯人を探すという、ビブリオミステリ×特殊設定ミステリというべき物語構造をもっている。全十七巻に及ぶ長編のため、本全集にはその中でも鮮やかな構図の転換と意外性に最も優れた三・四巻の「人魚姫」編までを収録した。

『ぼくと魔女式アポカリプス』は当時大流行していた学園異能バトルもののひとつだが、本全集には犯人探しの特殊設定ミステリとして鑑賞できる第一巻を収録した。ミステリ界では二〇一〇年代末あたりから、浅倉秋成《あさくらあきなり》『教室が、ひとりになるまで』や詠坂雄二《よみさかゆうじ》『君待秋《きみまちあき》ラは透きとおる』のような特殊能力バトルものが特殊設定ミステリの一種として受容されているが、ライトノベルの世界では十年以上前からそういう作例は当たり前に存在したことを示す一例であると言える。

　さて、この四巻までの時代――ゼロ年代は、それまで厳然と存在したライトノベルと一般文芸の垣根が急速に崩壊した時代である。本格ミステリの世界において、それを象徴する作家が角川スニーカー文庫出身の米澤穂信だろう。一度は続刊の刊行が不可能になっていた〈古典部〉シリーズが一般文芸で復活し、〈小市民〉シリーズが創元推理文庫という一般レーベルで成功を収めたことは、ライトノベルと本格ミステリの境界を急速に融和させていく。

第五巻には、それを象徴する――そして、現代の特殊設定ミステリブームの直接の先鞭をつけた二〇一〇年前後の三大傑作を収録した。『Another』がテレビアニメ化され、角川スニーカー文庫からも刊行されたこと。『虚構推理』もコミカライズを経由してテレビアニメ化されたことは、清涼院流水の時代に多大な拒否反応を呼び起こした漫画・アニメ的なキャラクター性が、本格ミステリ界でも受け入れられるようになったことを示している。その変化をリードした米澤穂信が、『折れた竜骨』のあとがきで〝特殊設定ミステリ〟という言葉を明瞭に定義したことの意義は絶大だ。

第六巻には二〇一〇年代、ライトノベル方面で生み出された、RPGファンタジーと本格ミステリの融合を図った意欲作三作を収録した。橙乃《とうの》ままれ『まおゆう魔王勇者』以降、RPG的な――というか『ドラゴンクエスト』的な「勇者と魔王」を一種のテンプレートとして利用するファンタジーが大流行したが、『六花の勇者』『魔王殺しと偽りの勇者』の二作はその中で本格ミステリとの融合を目指した試みである。特に『六花の勇者』は後述する第七巻で扱う「人狼ゲーム」との関わりにおいても見逃せない。本作は二巻以降本格ミステリ色は後退したと思われがちだが、現時点での最新刊である六巻に至って、とてつもなく遠大な、ほとんど連城《れんじょう》三《み》紀彦《きひこ》的な構図の特殊設定ミステリとして決着していることは特記しておこう。魔女と魔法の本格ミステリ『ウィッチハント・カーテンコール』も、この時期のファンタジーミステリの作例として見逃せない一作だ。

第七巻は二〇一〇年代のライトノベルにおける重要トピックである「転生」「ゲーム」「ループ」ものから注目すべき作例を収めた。二〇一〇年代のループものを代表する『Re:ゼロから始める異世界生活』は三〇巻を超えて継続中の大長編だが、本全集にはミステリ色の強い序盤の三巻を収めた。特に二巻から三巻は死に戻りのループを活かした館ミステリであり、二〇一〇年代のループものブームの発端といえる『STEINS;GATE』がそうであるように、試行錯誤による解決の過程と伏線回収が重視されるループものは、構造的に特殊設定ミステリの形式となることを示している。

全てがゲームによって決定される異世界に召喚されたゲーマー兄妹が世界統一を目指す『ノーゲーム・ノーライフ』は、『DEATH NOTE』から続く、特殊なルールに基づいた駆け引きと頭脳戦を軸としているという意味で、特殊設定ミステリ的な思考法が二〇一〇年代のライトノベルにおいてとっくに当たり前のものとなっていることを示す作例のひとつ。これも既刊十二巻で現在も継続中の長編のため、導入部としてアニメ化もされた序盤の三巻を収録した。『マジカル†デスゲーム』は魔法少女の人狼ゲームもので、明確に特殊設定ミステリを企図している。二〇一〇年代における人狼ゲームの流行は、特殊設定ミステリブームとも明らかに連動した現象であることを端的に示す作例である。

第八巻は、現代本格を牽引する三人の作家の特殊設定ミステリから代表作を収めた。この三人に共通するのは、漫画・アニメ・ゲーム・ライトノベルで育ち、それらのキャラクター性や世界観を自然のものとして身につけていることである。本格ミステリを愛するのと同様にそれらを愛しているからこそ、その両方を融合した作品を目指すのは自然なことであり、また特殊設定ミステリ的な思考法を自然に身につけてるのだということが、本全集に収録した作品群とあわせて読むことで改めて理解されるはずだ。

　第九巻は、より現代的な作品群の一例として、ウェブ発表からの書籍化二作と、ミステリーズ！新人賞出身作家の二次創作漫画と中編とを収めた。『天空城殺人事件』はあからさまに『ドラゴンクエスト』を下敷きにし、『異世界の名探偵』は〈小説家になろう〉の異世界転生テンプレートから始まるファンタジーミステリである。第六巻に収めた作品群とともにRPGファンタジーと本格ミステリのマッシュアップが現代の若手作家にとって非常に魅力的な題材であることが窺える。

　榊林銘は「銘宮」名義で、同人界の一大ジャンルである《東方Project》の二次創作で活動している。『黄金の降る場所で』はその東方二次創作漫画の最高傑作。〝歴史上から存在の痕跡を抹消された被害者当て〟という、前提として対象が原作のキャラクターという範囲に定められる二次創作でなければ成立しない奇想ミステリだ。「榊林銘」名義での商業デビュー短編集『あと十五秒で死ぬ』に書き下ろされた傑作中編「首が取れても死なない僕らの首無殺人事件」の設定は『東方』のキャラクターが元になっており、特殊な能力を持つキャラクターが多数存在する『東方』の世界でミステリを試み続けてきたからこそ生み出された奇想ミステリである。

　これらの作品が明瞭に指し示すように、現代の特殊設定ミステリは定番の設定や、作者と読者の間でのある種の共通理解を巧みに利用するという意味で、一種の二次創作性を帯びている。『屍人荘の殺人』が〝あるジャンル〟の一般的な共通理解を利用したのがその典型だ。本全集には収録しなかったが、青柳《あおやぎ》碧人《あいと》の《昔ばなし×ミステリ》シリーズは、そのまま昔ばなしの本格ミステリ二次創作といえる。そして本格ミステリというジャンル自体も、過去の作品を下敷きに、ある種の共通理解としてその新たなバリエーションを生み出していくという意味で、その発展から二次創作性を常に帯び続けている。

　最終巻には、そうした二重の意味での二次創作性をもった――つまり、他のジャンルとのマッシュアップかつ、過去の特殊設定ミステリ史を踏まえたバリエーションとしての三作品を収めた。メタ・特殊設定ミステリである『medium』。『トリックスターズ』の本歌取りと言っていい『錬金術師の密室』。そして――江戸川乱歩賞を受賞し、時代の変化を印象づけた武侠小説×特殊設定ミステリ『老虎残夢』には、奇しくも『ブロークン・フィスト』の最終巻となった三巻と全く同じネタが登場する。『ブロークン・フィスト』から『老虎残夢』へと至る道は、即ちこの二十年間に、様々な試みの中で特殊設定ミステリの文法が確立されていく過程そのものなのだ。

　以上、収録しきれなかった作品や紙幅の都合で言及し損ねた作品も数多くあるが、ライトノベル・ミステリの試行錯誤を通して現代の本格シーンを見渡すための叩き台として、本全集をお楽しみいただければ幸いである。

《実話犯罪ミステリコレクション》解説

松本寛大

古くより犯罪は路上で扇情的に語られるなど、芸能の題材として扱われてきた。小説という表現形式が生まれてからも同様である。そこに論理性という武器を持ち込んだのがポーの「マリー・ロジェの謎」だった。ヒロインのモデル、メアリー・ロジャースの死体がハドソン川で発見されたのは一八四一年。小説の雑誌掲載は一八四二年に始まっている。時勢に即応するところはポーのジャーナリスティックな視点が遺憾なく発揮されているといえるだろう。実事件と推理小説の距離は案外近い。ミステリファンに向けてこの《実話犯罪ミステリコレクション》第一期をお届けできることをうれしく思う。

諸々の都合により収録を見送らざるを得なかった作品は多い。推理小説と犯罪文学の線引きは言うまでもなく困難で、選者の恣意的な判断であるとのそしりは免れないだろう。世に問いたい境界線上の作品も少なくない。

また、切り裂きジャック関連作品はそれだけで叢書の刊行が可能ということもあり、一部例外をのぞきあえて取り上げなかった。第二期を編む機会が訪れるのを待ちたい。

以下、各巻の収録作について見ていこう。

シリーズ第一巻は**甲賀三郎《こうがさぶろう》「支倉事件」**に、**山本禾太郎《やまもとのぎたろう》「窓」「小坂町事件」「長襦袢」「小笛事件」**、**佐藤春夫《さとうはるお》『維納《ウィーン》の殺人容疑者』**を併せて収録した。

甲賀三郎「支倉事件」は昭和二年の作品。劇中の警察署長は正力《しょうりき》松太郎《まつたろう》がモデルで、小説は正力が代表取締役であった読売新聞に連載された。当時としては画期的な犯罪小説である。題材となった事件の発端は大正六年、牧師である島倉儀平《しまくらぎへい》の聖書泥棒で、その捜査の過程で島倉には放火や保険金詐欺、さらに殺人の容疑がかけられるに至る。島倉は強烈な個性の持ち主で、世を賑わした。小原直《おはらなおし》（検事、のちの司法大臣）の回顧録には、「公判廷における島倉は狂える悪鬼のごとく」で、「獄中において細字で数千枚にのぼる手記を書き綴った。そして獄内で首をくくって死んで行った」とある。

この島倉事件は高木彬光《たかぎあきみつ》の『白魔の歌』にもちらりと登場する。今回は収録を見送ったが、興味があれば手に取ってほしい。

山本禾太郎「窓」は大正十五年、「新青年」の創作探偵小説募集において、夢野久作《ゆめのきゅうさく》の「あやかしの鼓」とともに二等当選作となった作品。検事の調書や鑑定書といった記録を並べて事件の輪郭を浮かび上がらせる意欲作だ。トリッキーな味わいのある「小坂町事件」や語り口に工夫を凝らした「長襦袢」も「新青年」発表作。「小笛事件」は昭和七年に神戸新聞・京都日日新聞に連載された著者の代表作で、被告が終始犯行を否認するため審理の行方は鑑定結果次第という公判を淡々としたドキュメンタリータッチで描く。

昭和七年、「改造」に連載された佐藤春夫『維納の殺人容疑者』は、ウィーンで起きた殺人事件の公判を描く作品。被告の実業家、グスタフ・バウアーはフェルナー夫人を銃で殺したか否か。検事と弁護士は「理知という刃を唯一の武器として」闘う。事件の謎解きよりも陪審員をいかに説得するかという法廷闘争に主眼が置かれている点で、「小笛事件」とほぼ同時期ながら事件小説としてのスタイルは異なる。歴史的価値という意味でも一読に値するだろう。

第二巻は**牧逸馬**《まきいつま》「**世界怪奇実話**」**選**。牧逸馬がロンドンの古本屋などで買いあさった犯罪記録を整理し、まとめ上げ、昭和四年から「中央公論」に連載したものだ。

牧逸馬、本名は長谷川海太郎《はせがわかいたろう》。またの名を林不忘《はやしふぼう》、谷譲次《たにじょうじ》。三つのペンネームを駆使して大衆小説を量産した流行作家である。ことに隻眼隻手の剣士、丹下左膳《たんげさぜん》という時代劇の一大ヒーローを生み出したことで名高い。わずか三十五歳で亡くなった破天荒な作家だ。「世界怪奇実話」は「中央公論」に連載されたものを中心に、全三十三編。うち殺人を扱ったものは約半数で、ほか、身代金誘拐、詐欺事件、スパイ、タイタニック号の沈没やマリー・セレスト号の人間消失など、内容はバラエティに富んでいる。

本シリーズでは、切り裂きジャックやペーター・キュルテン、アドルフ・ホテリングによる猟奇連続殺人事件のほか、当時広く知れ渡っていたクリッペン事件などの謀殺を題材とした作品を収録した。作品によっては、現代の読者にとってはやや扇情的に見える文体が目立つと思われるが、一方で、まったく古びない、たしかに冷たく冴えた文章が時折顔を出す。代表作といっても過言ではない「浴槽の花嫁」において、金銭目的で何人もの妻を浴槽に沈めて殺した犯人が下宿の大家に痛罵を浴びせられたときのセリフ、「When they're dead,they're dead.（死んだやつは、死んだやつさ）」は長く読者の心に残るに違いない。

全八〇巻に及ぶ東京創元社の「世界推理小説全集」の別巻1、2は「著名犯罪集」と題され、Joseph Henry Jackson の犯罪記録を中心に訳者の井上勇《いのうえいさむ》が独自にまとめたものである。その別巻一冊目のタイトルは『浴槽の花嫁』。読み比べてみるのも一興だろう。牧逸馬の語り口のうまさがよくわかる。

なお、第二巻にはボーナストラックとして**谷崎潤一郎**《たにざきじゅんいちろう》「**日本に於けるクリップン事件**」（昭和二年）を収録した。マゾヒズムをテーマとした作品で、トリッキーなオチがついている。クリッペン事件を扱った牧逸馬による「血の三角形」と併せて読んでほしい。

第三巻は**横溝正史**《よこみぞせいし》『**八つ墓村**』（「新青年」昭和二十四～二十五年）、『**悪魔が来りて笛を吹く**』（「宝石」昭和二十六～二十八年）を収録した。説明不要だろうが『八つ墓村』は、昭和十三年に起きた都井睦雄《といむつお》のいわゆる津山事件を背景にした小説。『悪魔が来りて笛を吹く』には昭和二十三年に帝国銀行を訪れた男が行員ら十二人を毒殺した「帝銀事件」をモデルにした事件が登場する。

一夜にして三十名の人を死に至らしめた大量殺人事件・津山事件は『八つ墓村』とその映画化作品を通じて、人口に膾炙した。人を惹きつける魔力のある事件ゆえか、複数のノンフィクションが出版され、近年においても再検討、再々検討が成されている。同じ事件を扱ってはいるが、推理小説とは言いがたいために収録を見送った西村望《にしむらぼう》の『丑三つの村』も一読をおすすめしたい。

余談だが、西村望作品では、高知の貧しい村に生まれ、兵役を忌避して逃亡した男の流浪と転落の人生を描いた『鬼畜　阿弥陀仏よや、おいおい』も興味深い一作。昭和三十八年に四国で起こった連続強盗殺人事件に材を取った犯罪小説である。男は放火や殺人未遂などのため人生のかなりの部分を刑務所で過ごすも更生せず、出獄後も坂を転げ落ちるように無計画、場当たり的に窃盗と殺人を繰り返していく。『丑三つの村』『鬼畜　阿弥陀仏よや、おいおい』はともに電子書籍で入手が可能だ。

第四巻・第五巻は**松本清張《まつもとせいちょう》選集**。第四巻収録作は「**日光中宮祠事件**」と、『**小説帝銀事件**』を。第五巻には昭和三十四年の客室乗務員殺人事件を取り上げた『**黒い福音**』に加え、「**闇に駆ける猟銃**」「**アムステルダム運河殺人事件**」を収録した。

「日光中宮祠事件」は昭和三十三年の作品で、著者のミステリとしては初期の部類に入る。昭和二十一年に起きた日光の旅館で一家六人の死体が発見された事件は、一度は無理心中として片付けられる。これをひたすらに足を使って再捜査する刑事の活躍を描く。

当時非常に評判となった『小説帝銀事件』（昭和三十四年）は、逮捕された洋画家の死刑確定後の発表。ここで松本清張は大胆にも組織的な関与があったという推理を組み立て、冤罪の可能性を示している。

『黒い福音』（昭和三十六年）は、ＢＯＡＣ（英国海外航空）客室乗務員が殺害され、捜査線上にベルギー人神父が浮かび上がった未解決事件を取り扱ったもの。

津山事件を扱った「闇に駆ける猟銃」は事実の記録に徹した一編。他の出版物と比較してもらうため収録した。

「アムステルダム運河殺人事件」は、一九六五（昭和四十）年にアムステルダム運河で日本人男性の死体が発見された事件をもとにした小説。前半は事実関係の提示、後半はポーの「マリー・ロジェの謎」に言及し、デュパンにならって探偵役を「『アムステルダム運河殺人事件』に介入させよう」という宣言ののち、未解決事件の容疑者を物語上で推理するという凝った構成をとっている。

言うまでもなく、推理文壇における松本清張の影響は極めて大きい。清張の苦闘を境に、フィクションとノンフィクションの境界は次第に明確化していったのかもしれない。

その道標のひとつとして、第七十四回直木賞受賞作、**佐木隆三**《さきりゅうぞう》の**『復讐するは我にあり』**（昭和五十年）を第六巻収録作とした。昭和三十八年に起きた連続殺人事件を題材に、人間の業を深くえぐっていく作品だ。ここには戦前の犯罪実話はむろん、牧逸馬の犯罪実話や、あるいは『八つ墓村』が持っていたいかがわしさというものはもう見えない。

（それを思えば、清張が昭和四十四年に牧逸馬の『一人三人全集』解説で、牧の影響下に「日光中宮祠事件」を書いたと語っているのは興味深い）

平成以後はジャンルにおける細分化がさらに進み、実事件を扱った小説は、犯罪者の心理を探り、あるいは犯罪がおこなわれるに至った周囲の状況を克明に描き出していく犯罪小説と、実際の犯罪を元に自由に想像をふくらませたり背景の一部に使用したりする物語性の強い推理小説とに枝分かれしていく。

その両方を手がけたのが第七巻、第八巻で取り上げる**島田荘司**《しまだそうじ》である。こう書いては語弊があるかもしれないが実事件が持つある種のロマンを推理小説の世界に呼び戻すとともに、松本清張のように実際の犯罪を再検討して冤罪の可能性を指摘するなど、強く現実に働きかけていった希有な作家だ。

第七巻では実事件を元に想像力を駆使して描くミステリー**『切り裂きジャック・百年の孤独』**（昭和六十三年）に加え、**『龍臥亭事件』**（平成八年）**「ヘルター・スケルター」**（平成十三年）を。第八巻では現在進行形の事件に切り込んでいく**『秋好事件』**（平成六年）**『三浦和義事件』**（平成九年）を収めた。

『切り裂きジャック・百年の孤独』は、著者一流のケレンに満ちた驚愕の真相が楽しめる一作。『龍臥亭事件』はまたしても津山事件を背景に扱った一大ロマン。「ヘルター・スケルター」はカッパ・ノベルスの書き下ろしアンソロジー『21世紀本格』が初出の短編。『秋好事件』は昭和五十一年に福岡市で起きた一家四人惨殺事件について再検証を試みたノンフィクション。『三浦和義事件』は昭和五十六年のいわゆるロス疑惑に迫る大著だ。

第九巻には**折原一**《おりはらいち》**『冤罪者』**と**篠田秀幸**《しのだひでゆき》**『帝銀村の殺人』**を収録した。

折原一は昭和六十一年のトリカブト保険金殺人事件に題材を得た『仮面劇』を皮切りに、多数の実事件をもとにした小説を手がけている。『冤罪者』は直木賞の候補にもなった折原一の代表作のひとつで、下敷きにしているのは昭和四十九年に起きた女性会社員殺人事件の容疑者、小野悦男《おのえつお》の冤罪事件だ。小野は無罪を主張。長きにわたる裁判ののち、証拠不十分だとして冤罪が認められ、大いに世間を沸かせたのだが、釈放後、同居していた女性を殺害して有罪となった。

　篠田秀幸もまた実事件に多大な興味を持って推理小説を書いた作家だ。実事件ベースの作品が多数ある中、本書には『帝銀村の殺人』を収録したが、物語の幕開けが振るっている。角川春樹事務所編集部に、帝銀事件研究家の篠田秀幸という男から、真犯人を突き止めたという手紙が届くのだ。現代に再び起きた毒殺事件に名探偵弥生原公彦が挑む。

　第十巻は**谺健二《こだまけんじ》『赫い月照』**と、**白井智之《しらいともゆき》『名探偵のはらわた』**を収録した。

『赫い月照』は平成九年に神戸市で起こった、いわゆる酒鬼薔薇聖斗事件に真っ向から勝負を挑んだ重量級の大作。古典的な本格ミステリ然とした不可能犯罪とシリアルキラーによるサイコ殺人、それに異様な迫力の作中作とが渾然一体となった傑作だ。

　白井智之『名探偵のはらわた』は阿部定《あべさだ》や帝銀事件の犯人、都井睦雄といった昭和の殺人者が現代の日本によみがえるという奇想天外、全編ケレンに満ちた作品。令和のミステリの世界にいかがわしさを呼び戻す気概に満ちあふれた一作だ。続編に、一九七八年にガイアナで起きた宗教団体〈人民寺院〉による集団自殺を題材にした『名探偵のいけにえ』がある。本格ミステリーが殺人を娯楽として扱うことの意味をあらためて考えさせる怪作で、こちらもおすすめしたい。

　いかがだろうか。本コレクションの様々な作品を通して、読者には実事件へのアプローチの違いを楽しんでもらえたら何よりだ。

　松本清張の「日光中宮祠事件」についてだが、モデルとなった事件は地方裁判所で犯人に死刑判決が下された後、控訴された。小説は控訴棄却の前に発表されており、犯人の名前も実名が使われている。作品の価値は別として、現在の目から見れば危ういものをはらんでいるようにも思うことを付記しておく。これは本コレクションで取り上げたほかの作品にも大なり小なり共通する問題だ。その後の調査により事実関係が覆ることもある。

　たとえば、島田荘司の『龍臥亭事件』が筑波昭《つくばあきら》の『津山三十人殺し』を下敷きにしていることは著者の語る通りだが、現在、同書には見逃せない誤りが多い可能性が指摘されている。在野の研究者やノンフィクション作家によって、アメリカの大学に保管してあった（戦後にＧＨＱが持ち帰ったと推測される）事件記録の検証が進んだり、粘り強い現地取材がおこなわれた結果だ。

　むろん事実関係が見直されたからといって小説の価値は変わるものではない。ここで言いたいのは、事実の持つ強さとデリケートさについてである。その点は強調しておく。そうした強さとデリケートさに触れる際の、作品と読者との緊張関係は、推理小説をさらに奥深いものにしてくれるのではないだろうか。

［終］

執筆者プロフィール（五十音順）

秋好亮平（あきよし・りょうへい）
一九九一年神奈川県生まれ。早稲田大学文学部卒業。日本推理作家協会、本格ミステリ作家クラブなどに所属。共著に千街晶之編著『21世紀本格ミステリ映像大全』（原書房）。

浅木原忍（あさぎはら・しのぶ）
一九八五年、青森県生まれ。同人誌『ミステリ読者のための連城三紀彦全作品ガイド【増補改訂版】』にて第十六回本格ミステリ大賞評論・研究部門を受賞。同書を商業出版した『ミステリ読者のための連城三紀彦全作品ガイド』（論創社）で第七十一回日本推理作家協会賞評論・研究部門候補。共著に『本格ミステリの本流 本格ミステリ大賞20年を読み解く』（南雲堂）。

荒岸来穂（あれきし・らいほ）
一九九五年生まれ。埼玉県大宮育ち。ワセダミステリ・クラブ出身。日本推理作家協会所属。二〇一八年に「見えざる悪意、型式と「光」の歪み　貫井徳郎『乱反射』」で日本推理作家協会70周年書評・評論コンクール奨励賞受賞。二〇二三年現在、『ミステリマガジン』にて「陰謀論的探偵小説論」を連載中。共著に『十四人の識者が選ぶ 本当に面白いミステリ・ガイド』（Ｐヴァインブックス）がある。

市川尚吾（いちかわ・しょうご）
一九六三年生まれ。静岡市出身。静岡大学理学部卒。一九九八年に第四回メフィスト賞受賞作『Ｊの神話』で小説家デビュー（乾くるみ名義）。二〇〇一年から探偵小説研究会に所属。

浦谷一弘（うらたに・かずひろ）
一九七一年、京都府生まれ。龍谷大学大学院博士課程満期退学。共著に『京都学の企て』（勉誠出版）、『鉄道――関西近代のマトリクス』（和泉書院）など。主な論文は、「植民地統治期〈台湾〉の探偵小説――林熊生『龍山寺の曹老人』」（『花園大学国文学論究』）、「綾辻行人『びっくり館の殺人』論」（『CRITICA』）など。

円堂都司昭（えんどう・としあき）
一九六三年千葉県生まれ。文芸・音楽評論家。一九九九年「シングル・ルームとテーマパーク　綾辻行人『館』論」で第六回創元推理評論賞、二〇一二年『「謎」の解像度』で第六二回日本推理作家協会賞と第九回本格ミステリ大賞を受賞。著書に『エンタメ小説進化論』、『戦後サブカル年代記』、『ディストピア・フィクション論』、『意味も知らずにプログレを語るなかれ』、共著に『バンド臨終図巻』など。

大森滋樹（おおもり・しげき）
一九六五年、北海道生まれ。「物語のジェットマシーン――探偵小説における速度と遊びの研究」で第七回創元推理評論賞の佳作入選。共著に『ニアミステリのすすめ――新世紀の多角的読書ナビゲーション』（原書房）、『本格ミステリ・クロニクル300』（原書房）、『日本探偵小説を読む』（北海道大学出版会）など。大森葉音名義で本格ミステリ小説『プランタンの優雅な退屈』（原書房）を上梓している。

佳多山大地（かたやま・だいち）
一九七二年、大阪府生まれ。学習院大学文学部卒業。一九九四年、東京創元社主催の第一回創元推理評論賞に投じた「明智小五郎の黄昏」が佳作入選。以後、ミステリ評論家として各紙誌で本格ミステリの批評・書評をメインに執筆活動を続ける。著書に『謎解き名作ミステリ講座』（講談社）、『トラベル・ミステリー聖地巡礼』（双葉文庫）、『新本格ミステリを識るための１００冊』（星海社新書）など。

小松史生子（こまつ・しょうこ）
一九七二年、東京都生まれ。東京大学大学院総合文化研究科卒。金城学院大学文学部教授。博士（学術）。第五回創元推理評論賞佳作（一九九八年）。著書に『探偵小説のペルソナ奇想と異常心理の言語態』（双文社出版、二〇一五年）、共編著に『〈怪異〉とミステリ　近代日本文学は何を「謎」としてきたか』（青弓社、二〇二二年）、また『復刻版　猟奇』『復刻版　鬼』（いずれも三人社）の監修・解説など。

笹川吉晴（ささがわ・よしはる）
一九六九年、東京都生まれ。二〇〇二年より『S-Fマガジン』にてホラー書評を連載中。共著に『秘神―闇の祝祭者たち』『別冊宝島 もっと知りたいホラーの愉しみ！』『まるごと宮部みゆき』『吸血鬼ハンター〝D〟読本』『別冊映画秘宝ゾンビ映画大マガジン』『クトゥルフ神話検定公式テキスト』など。

末國善己（すえくに・よしみ）
一九六八年広島県生まれ。明治大学卒、専修大学大学院博士後期課程満期退学。時代小説、探偵小説を中心に評論活動を行う。著書に『時代小説で読む日本史』『夜の日本史』『読み出したら止まらない！時代小説マストリード一〇〇』、共著に『戦国の教科書』、編著に『半鐘の怪　半七捕物帳ミステリ傑作選』、『夫婦商売　時代小説アンソロジー』などがある。現在、〈周五郎少年文庫〉全六巻の編纂後に入手した作品の復刊を準備中。

千街晶之（せんがい・あきゆき）
一九七〇年、北海道生まれ。「終わらない伝言ゲーム」で第

書肆侃侃房
Shoshikankanbou

Woman's Best 17　韓国女性文学シリーズ14

小さな町　ソン・ボミ　著　橋本智保

本体1,800円＋税　978-4-86385-592-2

過去をすべて消しても生きていけるだろうか

私だけが知らなかった、
私のもう一つの物語

幼い頃の記憶。火事に見舞われた小さな町で、亡く
った悲しみに犬を飼う人々。死んだ兄。森の中に隠
て暮らす女性。いなくなった父。母の秘密。夫のスク
ップブックと、消えた女優。現在と過去が交錯し、思
ぬ真実が立ち上がってくる。

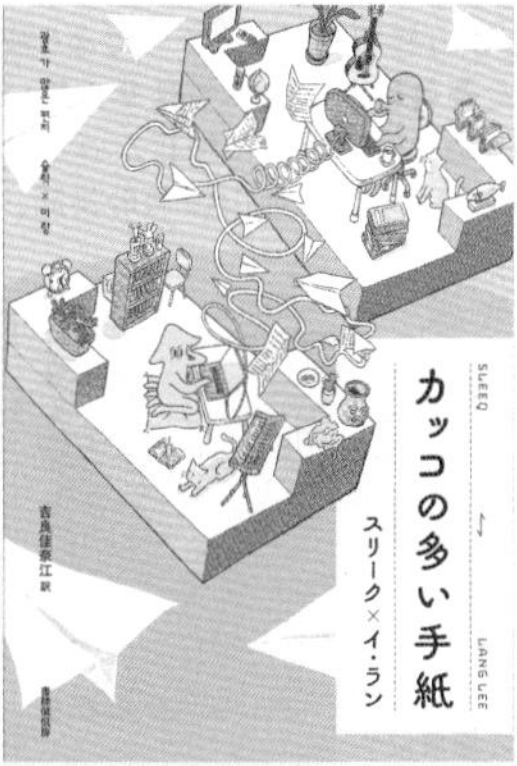

カッコの多い手紙

スリーク、イ・ラン　著　吉良佳奈江　訳

本体2,000円＋税　978-4-86385-593-9

《手紙には何度も（カッコ）を使いましたね》

ミュージシャンで、フェミニズムの同志。先
行き不明のコロナ禍に交わされたイ・ラン
とスリークふたりの往復書簡。

猫と暮らすこと、妊娠する身体、憂鬱な心の話を分か
ち合い、ヴィーガニズムや反トランスジェンダー差別を
語り合う。私的なことと社会的なこと、共感と対話のあ
いだを行き来しながら紡がれる優しくゆたかな言葉
たちは、あたらしい距離を測りつづけている。

まぼろしの枇杷の葉蔭で

祖母、葛原妙子の思い出　金子冬実

本体1,600円＋税　978-4-86385-590-8

おばあちゃんとのことについて、色々な人が色々なことを言っているだろう。あれはみんな違うんだよ

「幻視の女王」とも評された、戦後短歌史を代表する歌人、葛原妙子。彼女には家族にしか見せなかった別の姿があった——。チャーミングで愛おしい、「異形の歌人」の横顔。

現代詩ラ・メールがあった頃

983.7.1 — 1993.4.1　棚沢永子

体2,000円＋税　978-4-86385-585-4

から40年前、ふたりの女性詩人が男性主導の文芸シーンに一石を投じるべく立ち上がった。
川和江・吉原幸子責任編集「現代詩ラ・メール」の創刊である。

性による女性のための詩誌創刊。女たちの発表の場を作り出し、また人たちを発見しはぐくみながら、詩の大海原を航海し続けた10年間。いあり、涙あり、事件あり。ここで語られる数多の出来事は、単なる過去思い出話ではない。現代にも繋がる熱きシスターフッドの物語である。

寺山修司　彼と私の物語

——九條今日子の告白　青目海

本体1,900円＋税　978-4-86385-584-7

「青目……寺山のこと、好きだった？」

恋人、元妻、師、同志として、生涯を寺山修司のパートナーであり続けた九條今日子が、晩年に再会した著者にだけ開いて見せた思い出の小箱。誰にも見せることのなかった寺山の素顔に胸打たれる。元天井桟敷の著者が綴る今は亡き九條今日子と寺山修司の物語。

ミステリ映像の最前線　原作と映像の交叉光線《クロスライト》

千街晶之

本体2,300円＋税　978-4-86385-582-3

ミステリが映像化される際、何のために、どのように改変されるのか。

アガサ・クリスティー、東野圭吾、横溝正史など、名作とその映像化のもたらす化学反応の面白さ。その秘められた意図とは？

オリエント急行殺人事件／屍人荘の殺人／女子高生に殺されたい／探偵はBARにいる／キングスマン／お嬢さん／サスペリア／ナイトメア・アリー　など

post card

恐れ入りますが、切手をお貼りください

810-0041

福岡市中央区大名2-8-18
天神パークビル501

書肆侃侃房 行

フリガナ
お名前　　　　　男・女　年齢　　　歳

ご住所　〒

TEL(　　　)　　　　ご職業

e-mail：

※新刊・イベント情報などお届けすることがあります。　不要な場合は、チェックをお願いします→□
著者や翻訳者に連絡先をお伝えすることがあります。　不可の場合は、チェックをお願いします→□

□**注文申込書**　このはがきでご注文いただいた方は、**送料をサービス**させていただきます。
※本の代金のお支払いは、本の到着後1週間以内にお願いします。

本のタイトル	冊
本のタイトル	冊
本のタイトル	冊

愛読者カード

□本書のタイトル

□購入された書店

□本書をお知りになったきっかけ

□ご感想や著者へのメッセージなどご自由にお書きください

※お客様の声をHPや広告などに匿名で掲載させていただくことがありますので、ご了承ください。

◀こちらから感想を送ることが可能です。

書肆侃侃房　http://www.kankanbou.com　info@kankanbou.com

koro　榊原紘

本体2,100円＋税　978-4-86385-588-5

眼の奥に錆びた秤が一つあり泣けばわずかに揺れる音す

『悪友』で熱烈な支持を集める著者の、無二の進化を遂げた渾の第二歌集。

銀漢に表裏があれば手触りは違うのだろう　指輪を外す
百合のように俯き帽子脱ぐときに胸に迫りぬ破約の歴史
ボトルシップの底に小さな海がある　語彙がないから恋になるだけ
ヘアバームのくらいにおいだ泣くのなら最初の一粒から見ていたい

前川佐美雄歌集　前川佐美雄／三枝昂之編

本体2,400円＋税　978-4-86385-589-2

いますぐに君はこの街に放火せよその焔《ひ》の何んとうつくしからむ

生誕120年！　塚本邦雄、山中智恵子の師であり、「現代短歌の発端」として比類なき歌を紡いだ歌人・前川佐美雄。代表歌集『植物祭』『大和』を完本で収録、前川佐美雄の短歌世界を見渡せる1600首。

春がすみいよよ濃くなる眞晝間のなにも見えねば大和と思へ
火の如くなりてわが行く枯野原二月の雲雀身ぬちに入れぬ

ユニヴェール20　流　桜川冴子

本体2,100円＋税　978-4-86385-594-6

水俣を離れ続けてほーれ、ほう流民の舟にあれば歌へり

流――水俣を離れて50年。
ふるさとの家はなお水俣にありて歌い続ける著者のこれまで5冊の歌集から抄出した選歌集

頼りない湯豆腐のような君なれば生姜のように座ってあげる
沈黙の会議はつづく　微笑みてをれど開かぬモナリザの唇《くち》
大宇宙つくり給へる手を想ふまつ白な雪を転がしながら

精神の生活　クリスティン・スモールウッド　佐藤直子訳

本体2,100円＋税　978-4-86385-587-8

このままならない身体とのつきあい方を、誰も教えてくれない。トイレの個室で不安をひとり抱きしめているひとがいる。そこで何が起こっているか、あなたは本当に知っているだろうか。
――永井玲衣（哲学研究者／『水中の哲学者たち』）
この痛みを何と呼んだらいいのか？　「流産」というテーマを克明かつ赤裸々に描いた傑作小説。

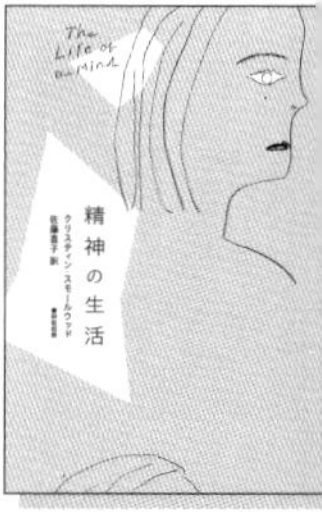

kankanbou.com

株式会社　書肆侃侃房　@kankanbou_e
福岡市中央区大名2-8-18-501　Tel：092-735-2802
本屋＆カフェ　本のあるところ ajiro　@ajirobooks
福岡市中央区天神3-6-8-1B　Tel：080-7346-8139
オンラインストア　https://ajirobooks.stores.jp

『女人短歌』　小さなるものの芽生えを、女性から奪うことなかれ

濱田美枝子

本体2,200円＋税　978-4-86385-581-6

日経新聞（瀬戸夏子）、朝日新聞（小島なお）、毎日新聞（大塚真祐子）、河北新報（大辻隆弘）など続々と書評掲載！

女性のために女性自身の手によって編まれた歌誌『女人短歌』。第二次大戦の敗戦直後に創刊され、48年にわたって刊行された。五島美代子、長沢美津、葛原妙子ら、『女人短歌』に集った歌人たちの熱き魂のリレーを追う。

現代短歌クラシックス12　**乱反射**　小島なお

本体1,400円＋税　978-4-86385-574-8

何ひとつ知りすぎたことないままにわれは二十歳になってしまいぬ

現代短歌新人賞と駿河梅花文学賞をW受賞し、映画化もされた小島なおの第一歌集が新装復刊。

こころとは脳の内部にあるという倫理の先生の目の奥の空
もう二度とこんなに多くのダンボールを切ることはない最後の文化祭
講堂で賛美歌うたう友達のピアスの穴を後ろから見る

ユニヴェール6　増補新装版

ライナスの毛布　高田ほのか　**重版**

本体1,900円＋税　978-4-86385-591-5

第一歌集『ライナスの毛布』に新作短歌31首を加え、イノウエマサルさんによる書き下ろしカバー装画と小沢真理さんによる新帯で刊行する増補新装版。

たっぷりと未来が用意されている頬にそうっとおやすみなさい
抱えると重みがふふふふふくらますふろくを包みふくらむりぼん
しんにょうをスルリと描く祖父の手よ歩んできた道ぼくに聞かせて

二回創元推理評論賞を受賞してデビュー。『水面の星座　水底の宝石』（光文社）で第四回本格ミステリ大賞・第五十七回日本推理作家協会賞をダブル受賞。著書に『幻視者のリアル』（東京創元社）、『ミステリ映像の最前線』（書肆侃侃房）など。共著に『本格ミステリ・フラッシュバック』（東京創元社）、『21世紀本格ミステリ映像大全』（原書房）など。

鷹城宏（たかき・ひろし）
一九九六年、「あやかしの贄——京極ミステリーのルネサンス」で第3回創元推理評論賞を受賞。佳多山大地との共著に『探偵小説美味礼賛1999』『ミステリ評論革命』。探偵小説研究会編著『本格ミステリ・ベスト10』などに執筆者として参加。

嵩平何（たかひら・なに）
探偵小説研究会・本格ミステリ作家クラブ・変格ミステリ作家クラブ会員。SRの会などにも所属。「ミステリマガジン」にミステリ周辺書時評「ミステリ・サイドウェイ」を連載中。そのほか「本格ミステリ・ベスト10」や「ジャーロ」などの雑誌に寄稿。専門はミステリ評論研究書・ミステリマンガ・ミステリ同人誌や私家版など。書誌や紙ものが好物で、古書蒐集を継続中。

巽 昌章（たつみ・まさあき）
一九五七年、三重県生まれ。京都大学推理小説研究会出身。

千野帽子（ちの・ぼうし）
文筆家。著書『人はなぜ物語を求めるのか』『物語は人生を救うのか』（ちくまプリマー新書）『俳句いきなり入門』（NHK出版新書）『読まず嫌い。』（角川書店）《文藝ガーリッシュ》シリーズ（河出書房新社）、編著『夏休み』（角川文庫）『ロボッチイヌ　獅子文六短篇集モダンボーイ篇』（ちくま文庫）、共著『東京マッハ　俳句を選んで、推して、語り合う』（晶文社）他。トマス・パヴェル『小説列伝』（水声社）翻訳を準備中。

蔓葉信博（つるば・のぶひろ）
一九七五年、東京生まれ。探偵小説研究会のほかに、限界研、日本推理作家協会、本格ミステリ作家クラブ、変格探偵小説研究会に所属。共著に『21世紀探偵小説』（南雲堂）、『21世紀本格ミステリ映像大全』（原書房）、『本格ミステリの本流』（南雲堂）、『現代ミステリとは何か』（南雲堂）など。

並木士郎（なみき・しろう）
一九六四年、山口県生まれ。「モルグ街で起こらなかったこと　または起源の不在」で第四回創元推理評論賞を受賞。

法月綸太郎（のりづき・りんたろう）
一九六四年、島根県生まれ。京都大学法学部卒。在学中は推理小説研究会に属し、八八年『密閉教室』（講談社）でデビュー。「都市伝説パズル」で第五十五回日本推理作家協会賞短編部門、『生首に聞いてみろ』（角川書店）で第五回本格ミステリ大賞を受賞。二〇一三年から一七年まで本格ミステリ作家クラブ会長を務める。評論書に『謎解きが終ったら』『複雑な殺人芸術』『フェアプレイの向こう側』（いずれも講談社）など。

羽住典子（はすみ・のりこ）
一九七三年、東京生まれ。二〇〇七年二階堂黎人との合作小説を発表後、二〇〇九年『マーダーゲーム』（千澤のり子名義）で小説家として単独デビューする。単著に『少女ティック　下弦の月は謎を照らす』、『暗黒10カラット　十歳たちの不連続短編集』など。共著に『21世紀本格ミステリ映像大全』（羽住典子名義）、『本格ミステリの本流　本格ミステリ大賞20年を読み解く』など。

波多野健（はたの・けん）
一九四九年、京都生まれ。「無時間性の芸術へ——推理小説の神話的本質についての試論」で第七回創元推理評論賞を受賞、デビュー。『インド・ミステリ通史の試み』で第十三回本格ミステリ大賞候補に。スワミナタン『第三面の殺人』（講談社）、グリーン『霧の中の館』、ヒューム『ピカデリー・パズル』（論創社）を発掘、翻訳。共著に『本格ミステリ・クロニクル』（原書房）、『本格ミステリの本流』（南雲堂）など。

廣澤吉泰（ひろざわ・よしひろ）
一九六五年奈良県生まれ。神戸大学法学部卒業。会社員兼ライター。現在は「ミステリマガジン」（早川書房）でコミックレビューを連載。また「本格ミステリベスト10」（原書房）にミステリコミックの年間総括を発表。探偵小説研究会、本格ミステリ作家クラブ、SRの会に所属し、ミステリに関連した様々な活動を行っている。

松本寛大（まつもと・かんだい）
一九七一年、北海道生まれ。二〇〇九年、島田荘司選・第一回ばらのまち福山ミステリー文学新人賞を受賞した『玻璃の家』（講談社）でデビュー。他の著書に『妖精の墓標』（講談社ノベルス）。評論分野の著書（共著）に『北の想像力』（寿郎社）、『現代北海道文学論』（藤田印刷エクセレントブックス）がある。また、「クトゥルフ神話TRPG」にも長く係わり、ソースブック等に寄稿している。

諸岡卓真（もろおか・たくま）
一九七七年、福島県生まれ。北星学園大学教員。二〇〇三年、「九〇年代本格ミステリの研究」で第十回創元推理評論賞佳作入選。著書に『現代本格ミステリの研究』（北海道大学出版会）。共著に『日本探偵小説を読む』『日本探偵小説を知る』（以上、北海道大学出版会）、『本格ミステリの本流』（南雲堂）、『〈怪異〉とミステリ』（青弓社）など。論文に「ねじれた推理——『かまいたちの夜×3』論」など。

横井司（よこい・つかさ）
一九六二年、石川県生まれ。共著に『日本ミステリー事典』（新潮社）『本格ミステリ・フラッシュバック』（東京創元社）など。

収録作品初出誌

戦争ミステリ傑作選	《ジャーロ》No.55（二〇一五年秋冬号）
異論理図書館《ビブリオテカ・パラロジック》	《ジャーロ》No.56（二〇一六年春号）
死のカードあわせ――可動式アンソロジーのすすめ	《ジャーロ》No.57（二〇一六年夏号）
ミステリのフロンティアはここだ――ＫＫ房ミステロイド文庫・創刊！	《ジャーロ》No.58（二〇一六年秋冬号）
ライトミステリーの源流と現在	《ジャーロ》No.59（二〇一七年春号）
パリンプセストの舟――メタハードボイルド全集（第一期）	《ジャーロ》No.60（二〇一七年夏号）
映画原作短篇十選	《ジャーロ》No.61（二〇一七年秋号）
暗号解読――ミステリと現実のアンソロジー	《ジャーロ》No.63（二〇一八年春号）
昭和五十年代アンソロジー（国内編）傑作選	《ジャーロ》No.64（二〇一八年夏号）
春を売る本格ミステリたち	《ジャーロ》No.65（二〇一八年秋号）
『そして誰も』系ミステリの世界	《ジャーロ》No.66（二〇一八年冬号）
墓場へ持ちこまれた謎を解く	《ジャーロ》No.67（二〇一九年春号）
海底ミステリ全集	《ジャーロ》No.68（二〇一九年夏号）
飛行機ミステリ全集（第一期）	《ジャーロ》No.69（二〇一九年秋号）
ベスト本格ミステリ21世紀	《ジャーロ》No.70（二〇一九年冬号）
『人面瘡』幻想ミステリ全集	《ジャーロ》No.71（二〇二〇年春号）
鉄道ミステリー選集（二巻本）	《ジャーロ》No.72（二〇二〇年夏号）
ミステリの中の『忘れえぬ女《ひと》』名場面傑作集（クラシック編）	《ジャーロ》No.74（二〇二一年一月号）
世界のＵＭＡ小説《ミステリー》大図鑑（第一期）	《ジャーロ》No.75（二〇二一年三月号）
歴史時代小説作家ミステリ傑作選【戦後篇】	《ジャーロ》No.76（二〇二一年五月号）
満洲ミステリ・アラベスク	《ジャーロ》No.77（二〇二一年七月号）
推理作家自伝的小説集成（国内編）	《ジャーロ》No.78（二〇二一年九月号）
「陰謀論的想像力」とミステリ	《ジャーロ》No.79（二〇二一年十一月号）
ライトノベル側から辿る21世紀特殊設定ミステリ全集	《ジャーロ》No.80（二〇二二年一月号）
《実話犯罪ミステリコレクション》解説	《ジャーロ》No.81（二〇二二年三月号）

探偵小説研究会とは

1995年、創元推理評論賞の選考委員と受賞者などを中心として結成。主に探偵小説に関する多面的な研究・評論活動を行っている。

編著に『本格ミステリ・ベスト100　1975-1994』（東京創元社）、『本格ミステリ・クロニクル300』『ニアミステリのすすめ　新世紀の多角的読書ナビゲーション』『本格ミステリ・ディケイド300』（いずれも原書房）、『本格ミステリ・エターナル300』（行舟文化）など。『本格ミステリ・ベスト10』（原書房）を毎年刊行。2006年からは機関誌『CRITICA』を毎年発行。各メンバーが各誌紙で書評、評論活動などを行っている。

妄想アンソロジー式ミステリガイド

2023年12月27日　第1刷発行

著　者　　探偵小説研究会
発行者　　池田雪
発行所　　株式会社 書肆侃侃房（しょしかんかんぼう）
〒810-0041 福岡市中央区大名2-8-18-501
TEL 092-735-2802　FAX 092-735-2792
http://www.kankanbou.com
info@kankanbou.com

編　集　　田島安江
ブックデザイン　藤田瞳
装　画　　Luke Jones on Unsplash
DTP　　株式会社 紙とペン
印刷・製本　モリモト印刷株式会社

ISBN978-4-86385-606-6 C0095

書肆侃侃房のミステリ作品

書評七福神が選ぶ、絶対読み逃せない翻訳ミステリベスト 2011-2020

書評七福神編著

川出正樹　北上次郎　酒井貞道　霜月蒼　杉江松恋　千街晶之　吉野仁

おれたちはこの翻訳ミステリーが好きなんだ！

翻訳ミステリが好きでたまらない書評家七人によるミステリ好きのための書評本。この本を読めばミステリがもっと好きになる！？

A5判、並製、336ページ　本体1800円＋税

ミステリ映像の最前線

原作と映像の交叉光線《クロスライト》

千街晶之

ミステリが映像化される際、何のために、どのように改変されるのか。

アガサ・クリスティー、東野圭吾、横溝正史など、名作とその映像化のもたらす化学反応の面白さ。その秘められた意図とは？

鍵のかかった部屋／オリエント急行殺人事件／屍人荘の殺人／探偵はＢＡＲにいる／誰よりも狙われた男／ジョーカー・ゲーム／キングスマン／アルキメデスの大戦／お嬢さん／サスペリア／ナイトメア・アリー　など

四六判、並製、312ページ　本体2300円＋税

瑠璃色の一室　明利英司

四六判、並製、370ページ　本体1500円＋税

住宅街の中にある寂れた公園サンパーク。そこで浮浪者が殺された。元恋人への復讐を目論む鈴木真里、冷静な観察眼を持つ刑事竹内秋人、精神科病棟で友の帰りを待つ桃井沙奈。サンパークをのぞむ瑠璃色の古いアパートの一室を舞台に、それぞれの現在と過去がつながり、事件は思わぬ展開へ。

（仮）ヴィラ・アーク 設計主旨　VILLA ARC (tentative)　家原英生

四六判、上製、336ページ　本体1500円＋税

一級建築士が設計した館もの本格ミステリー

川津たちが招かれたのは、断崖に建つ「二本の筒が載った家」。彼らを迎えたのは不可解な表札「ヴィラ・アーク」。豪華な館訪問という楽しいはずの旅に、やがて暗雲が漂いはじめ、事件が起こる。消えた黒猫を捜すうちに一人、また一人と行方不明者が……。

百年の轍　織江耕太郎

四六判、並製、280ページ　本体1500円＋税

百年の深い静寂を破って因縁渦巻く社会派ミステリー登場 !!

太平洋戦争中に大陸で再会した二人の幼馴染矢島泰介と岩城智也は、必ず生きて帰り、ともに助け合って生きようと誓う。現代に通じる社会構造へのオマージュ的ミステリー作品。

七年の夜　チョン・ユジョン　著　カン・バンファ　訳

四六判、並製、560ページ　本体2200円＋税

ぼくは自分の父親の死刑執行人である。いま韓国でもっとも新作が待たれる作家チョン・ユジョン待望の長編ミステリー。死刑囚の息子として社会から疎外されるソウォン。その息子を救うために父は自分の命をかける――人間の本質は「悪」なのか？　２年間を費やして執筆され、韓国では50万部を超える傑作ミステリー。